청춘의 문장들

■ 이 도서의 국립중앙도서관 출판시도서목록(CIP)은
e-CIP 홈페이지(http://www.nl.go.kr/ecip)에서 이용하실 수 있습니다.
(CIP제어번호: CIP200400875)

청춘의 문장들

김연수

마음산책

청춘의 문장들

1판 1쇄 발행 2004년 5월 1일
1판 47쇄 발행 2019년 11월 15일

지은이 | 김연수
펴낸이 | 정은숙
펴낸곳 | 마음산책

등록 | 2000년 7월 28일(제13-653호)
주소 | (우 04043) 서울시 마포구 잔다리로 3안길 20
전화 | 대표 362-1452 편집 362-1451   팩스 | 362-1455
홈페이지 | http://www.maumsan.com
블로그 | maumsanchaek.blog.me
트위터 | http://twitter.com/maumsanchaek
페이스북 | http://www.facebook.com/maumsanchaek
전자우편 | maum@maumsan.com

ISBN 89-89351-55-3 03810

* 책값은 뒤표지에 있습니다.

청춘은 들고양이처럼 재빨리 지나가고
그 그림자는 오래도록 영혼에 그늘을 드리운다.

한 편의 시와 몇 줄의 문장으로 쓴 서문

고등학생이었던 나는 『데미안』과 『파우스트』와 『설국』을 읽었고 절에서 밤새 1,080배를 했으며 매일 해질 무렵이면 열 바퀴씩 운동장을 돌았고 매순간 의미 있게 살지 않는다면 그 즉시 자살한다는 내용의 '조건부자살동의서'라는 것을 작성해 책가방 속에 넣고 다녔다. 시를 쓰는 여학생을 맹목적으로 좋아했고 초콜릿맛이 나는 '장미'를 피웠으며 새벽 2시 비둘기호를 타고 부산으로 도망치는 친구를 배웅하느라 '나폴레옹'을 마셨고 가출에서 돌아온 또 다른 친구가 들려준, 너무나 예쁘다는 강릉역 앞 창녀촌의 여자를 혼자 상상했다.

하지만 무엇에도 나는 만족하지 못했다. 그런 밤이면 고향집 2층 지붕 위에 올라가 누워 있곤 했다. 처음에는 내가 아래에 있고 별들이 위에 있지만, 이윽고 시간이 흐르고 나면 그 위치가 바뀌어 내가 위에 있고 별들이 아래에 있게 된다. 그리고 나는 서서히 그 별들의 바다 속으로 빠져들게 된다. 어디서 왔는지, 또 어디로 가는지 알 수 없는 별들만이 가득한 바다. 또 나는 어디서 와서 또 어디로 가는지, 그게 너무나 궁금해 가슴이 터질 것만 같았다.

내 마음 한가운데는 텅 비어 있었다. 지금까지 나는 그 텅 빈 부분을 채우기 위해 살아왔다. 사랑할 만한 것이라면 무엇에든 빠져들었고 아파야만 한다면 기꺼이 아파했으며 이 생에서 다 배우지 못하면 다음 생에서 배우겠다고 결심했다. 하지만 아무리 해도 그 텅 빈 부분은 채워지지 않았다. 아무리 해도. 그건 슬픈 말이다. 그리고 서른 살이 되면서 나는 내가 도넛과 같은 존재라는 걸 깨닫게 됐다. 빵집 아들로서 얻을 수 있는 최대한의 깨달음이었다. 나는 도넛으로 태어났다. 그 가운데가 채워지면 나는 내가 아닌 다른 사람이 되는 것이다.

그럴 때 나는 두 개의 글을 읽는다. 하나는 이백의 시 「경정산에 올라 獨坐敬亭山」이고 하나는 다자이 오사무의 딸 쓰시마 유코가 쓴 짧은 소설 「꿈의 노래」다.

여러 새들 높이 날아 가뭇해지고

쓸쓸하던 구름 하나 한가롭게 떠 가니

마주 보아도 서로가 싫지 않은 건

이제는 경정산만 남아 있구나

衆鳥高飛盡 孤雲獨去閑

相看兩不厭 只有敬亭山

아이들을 잃고 서럽게 울다 눈이 먼 어머니의 노래, 그리운 안
주安壽야, 호ㅡ야레호ㅡ, 그리운 즈시오厨子王, 호ㅡ야레호ㅡ, 그
리워를 영어로 말하면, 아이 미스 유, 라지. 내 존재에서 당신이
빠져 있다. 그래서 나는 충분한 존재가 될 수 없다. 그런 의미라
지. 안나, 호ㅡ레. 호ㅡ레의 여동생 신도, 너도, 모두 그럴 테
지…….

내가 사랑한 시절들, 내가 사랑한 사람들, 내 안에서 잠시 머물다 사라진 것들, 지금 내게서 빠져 있는 것들……. 이 책에 나는 그 일들을 적어놓았다. 하지만 당연하게도 그 일들을 다 말하지는 못하겠다. 내가 차마 말하지 못한 일들은 당신이 짐작하기를. 나 역시 짐작했으니까. 이제는 경정산만이 남은 이백에게 마주보아도 서로가 싫지 않은 사람들이 모두 사라졌다는 사실을, 그리워라는 말에는 지금 내게 당신이 빠져 있다는 뜻이 담겼다는 걸 짐작했으니까. 당신도, 나도, 심장이 뛰고 피가 흐르는, 사람이니까. 호—야레호—, 내게는 이제 경정산만이 남아 있을 뿐이니까, 호—야레호—, 당신도, 그 어떤 사람도 결국 그럴 테니까, 그렇게 우리는 충분한 존재가 될 수 없는, 도넛과 같은 존재니까, 이제 다시는 이런 책을 쓰는 일은 없을 테니까. 삶을 설명하는 데는 때로 한 문장이면 충분하니까.

사이에 있는 것들, 쉽게 바뀌는 것들,
덧없이 사라지는 것들이 여전히 내 마음을 잡아끈다.
내게도 꿈이라는 게 몇 개 있다. 그 중 하나는
마음을 잡아끄는 그 절실함을
문장으로 옮기는 일.

차례

집이 있어 아이들은 떠날 수 있고

어미 새가 있어 어린 새들은 날갯짓을 배운다.

내가 바다를 건너는 수고를 한 번이라도 했다면 그건

아버지가 이미 바다를 건너왔기 때문이다.

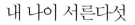

내 나이 서른다섯

옛날 어떤 사람이 꿈에 미인을 봤다. 너무도 고운 여인이었으나 얼굴을 반쪽만 드러내어 그 전체를 볼 수가 없었다. 반쪽에 대한 그리움이 쌓여 병이 되었다. 누군가가 그에게 '보지 못한 반쪽은 이미 본 반쪽과 똑같다'고 깨우쳐 주었다. 그 사람은 바로 울설이 풀렸다.

昔有人夢見一姝, 艶甚而只露半面. 以未見其全, 念結爲病. 人曉之曰, 未見之半, 如已見之半, 其人卽念解. (이용휴, 『제반풍록 題半楓錄』 중에서)

이제 나는 서른다섯 살이 됐다. 앞으로 살 인생은 이미 산 인생과 똑같은 것일까? 깊은 밤, 가끔 누워서 창문으로 스며드는 불빛을 바라보노라면 모든 게 불분명해질 때가 있다. 그럴 때면 내가 살아온 절반의 인생도 흐릿해질 때가 많다. 하물며 앞으로 살아갈 인생이란.

지금도 슬픈 생각에 고요히 귀기울이면

　1997년 무렵, 서울 큰 병원에 오신 어머니를 고향으로 보내드리느라 서울역에 나갔다가 우연히 할인 판매하는 책들을 봤다. 세상에는 슬픈 낯빛을 한 얼굴들이 여럿 있지만, 그 중에서도 내겐 재고로 할인 판매되기를 기다리는 책들의 낯빛이 무척 슬프다. 언뜻 훑어보는데 정조 때 사람 이덕무의 책이 보였다. 아무 생각 없이 나는 그 책을 사서 들고 관절염으로 고생하시는 어머니를 배웅했다.

　막내아들에 대한 어머니의 걱정이 대단했다. 취직할 생각은 없고 소설만 쓰겠다고 하니, 당장 저놈이 어떻게 먹고살 것인가 걱정되시는 모양이었다. 늘 그렇듯이 실실 웃으며 나는 잘될 테니 걱정하시지 말라고 하면서 어머니를 보내드렸다. 하지만 돌아오는 길이 쓸쓸하기 그지없었다. 일제히 불 밝힌 가로등처럼 '이렇게 살아도 되는 것일까' 하는 의문이 내 머리 위를 맴돌며 따라왔다. 집에 와서 문득 산 책의 제목을 보니 『사람답게 사는 즐거움

士小節』이었다. 남는 것이 시간이라는 생각으로 읽기 시작했다. 그 책은 참으로 고약한 책이었다.

말하자면 에티켓을 가르치는 책인 『사람답게 사는 즐거움』에 실린 내용은 대개 이런 식이었다. '무릇 생선이나 고기를 구울 때는 젓가락으로 뒤집고, 맨손으로 뒤집지 말라. 그리고 손에 묻어도 빨아먹어서는 안된다.' '무나 참외를 먹다가 남을 줄 때에는 반드시 칼로 이빨 자국을 깎아버리고 주어야 한다.' '아버지에게는 공경하면서 너무 무서워하고 어머니에게는 사랑하면서 버릇없이 구는 경우가 있는데, 너무 무서워하면 애정이 펴지지 못하고 버릇없이 굴면 공경심이 행해지지 못한다.' 가히 세 살 때 이웃의 창기娼妓가 준 돈 한 푼을 더럽다고 집어 던졌는데, 자기 신발 위에 떨어지자 수건으로 신을 닦은 사람이라더니 이처럼 고리타분한 금지 사항들을 열거해놓고서는 잘도 '사람답게 사는 즐거움'이라고 한다고 생각했다.

그런데 따분하게 이 시시콜콜한 얘기들을 읽다가 어느 순간 나도 모르게 눈물이 흘러나왔다. 왜 그랬을까? 순전히 밟으면 삐걱대는 오래된 마루 널처럼 몸이 아픈 어머니를 떠나보낸 내 감정이입일 뿐이었을지도 모른다. 그러니까 온갖 금지 사항만을 늘어놓던 이덕무가 어느 결엔가 이런 문장을 썼기 때문이다.

'나의 아버지와 숙부들이 다 살아 계실 때는 매우 우애가 돈독하였다. 다섯 분 형제가 한 방에 모이시면 화기가 가득하였다. 어머니께서는 이분들을 공경히 섬겨 아침저녁 식사를 반드시 손수 장만하시어 다섯 그릇의 밥과 다섯 그릇의 국을 반드시 큰상에 차려서 드렸다. 다섯 분은 빙 둘러앉아서 똑같이 식사를 드시는데 화기가 애애하였다. 나는 어릴 때 그 일을 보았다. 지금은 네 분 숙부가 다 작고하고 어머니도 세상을 떠나셨으며, 아버지만이 홀로 계시는데, 때로 그 일을 말씀하실 때마다 눈물을 흘리지 않으신 적이 없었다.'

이 문장을 쓰면서 이덕무는 그저 '어릴 때 그 일을 보았다'며 '어머니도 세상을 떠나셨다'고만 말했다. 자기 마음은 하나도 밝히지 않고 은근슬쩍 그 일을 말씀하실 때마다 눈물을 흘리시는 아버지 얘기만 하더니 다시 '~하지 마라'는 식의 글이 이어진다. 이 문장에서 이덕무는 별말이 없었는데, 나는 그가 어머니와 네 분 숙부를 얼마나 사랑했는지, 그들을 여의고 난 뒤 집이 얼마나 조용해졌는지, 아버지와 둘이 앉아 옛 일을 얘기하노라면 슬피 우시는 아버지 때문에 눈물도 보이지 못한 이덕무의 가슴이 얼마나 아팠겠는지 알 수 있을 것만 같았다. 그제야 나는 이 책에 실린 말들이 사실은 이덕무의 말이 아니라, 그 어머니의 말이라는 걸 깨달을 수 있었다. 손에 묻어도 빨아먹지 말아라, 애야. 참외를 먹다가 남에게 줄 때는 꼭 칼로 이빨 자국을 깎아버리고 주어야 한다.

내 나이 열일곱 살 때, 어머니는 자궁암 판정을 받고 대수술을 받았다. 평생 제과점을 운영한 분이라 어머니 정이라고는 잘 모르고 살았다고 생각했는데, 병원에 입원하시고 나서야 그분의 자리가 얼마나 큰 것인지 알았다. 어린 마음에는 그저 어찌해야 할지 알 수가 없었다. 한때 내가 들어 있었을 아기집을 떼고 난 뒤에야 어머니는 다시 몸을 일으킬 수 있었다. 하지만 그 다음해부터 여름이면 어머니는 병원에 입원해야만 했다. 아기집을 먼저 보낸 어머니의 몸은 세상에 잘 적응하지 못했다.

그리고 1993년 겨울, 우연히 누군가를 따라간 점집에서 집을 고치면 가족 수가 주니 절대로 집을 고치지 말라는 얘기를 들었다. 지난 가을, 우리는 이미 집을 고친 뒤였다. 방법이 없냐고 물었더니 굿을 하란다. 하지만 가톨릭 신자인 어머니가 어떻게 굿을 하겠는가? 그랬더니 성모님을 열심히 찾으라며 애처로운 표정으로 점쟁이가 말했다. 그 다음해 내내 나는 이사가자고 말했지만, 가족들은 내 말을 듣지 않았다. 설명할 수도 없는 얘기였다. 그리고 그해 여름, 아침에 자고 일어났는데 식구들이 아무도 없었다. 불안한 마음이 나를 휩쓸었다.

전전긍긍하며 한참을 앉아 있는데, 형에게서 전화가 왔다. 고향에서 가장 큰 병원에서도 포기했기 때문에 인근 대도시로 이송될 예정이니 빨리 병원으로 오라는 얘기였다. 병원에 가 앰뷸런스로 옮겨지는 어머니를 본 순간, 눈물이 쏟아졌다. 어머니는 혼수상태에 빠진 것이다. 몸이 오슬오슬 떨려왔다. 스무 살도 더 넘었지만, 그저 어찌해야 할지 알 수 없기는 마찬가지였다.

대학병원 응급실에서 어머니는 엄청나게 긴 주삿바늘을 심장에 꽂아야만 했다. 우리 세 남매는 울기만 했다. 어머니 몸에 그정도 바늘이 꽂히는 것도 두 눈 뜨고 못 보는 우리 남매가 어머니없이 어떻게 지낸단 말인가. 얼마나 울었을까? 어머니의 상태는조금씩 호전되고 있었다. 어머니는 차츰 정신을 차리고 있었다.어머니는 그렇게 우리를 세상으로 불러준 당신의 아기집과 영영헤어지는 일을 모두 끝마쳤다.

나도 어려서 그 일을 모두 봤다. 어머니가 건강하다는 게 얼마나 좋은 일인지 모른다. 『사람답게 사는 즐거움』의 바로 그 문장을 쓸 때, 비록 자기는 울지 않은 것처럼 짐짓 아버지 얘기만 했지만 이덕무가 눈물을 흘렸다는 것은 두말할 나위가 없다. 이덕무의 어머니 반남 박씨가 돌아가신 것은 이덕무의 나이 스물세살이 되던 1765년의 일이다. 모친상을 당하여서는 수질(상복을입을 때 머리에 두르는, 짚에 삼 껍질을 감은 둥근 테)과 요대를 풀지 않고 조석으로 슬피 우니 이웃 사람들이 그를 위하여 귀를 가렸다고 연암 박지원은 벗 이덕무를 기리는 글에 썼다. 그 일을 이덕무는 『이목구심서耳目口心書』에서 이렇게 썼다.

폐병이란 것은 기침병이다. 지금도 슬픈 생각에 고요히 귀기울이면 우리 어머니의 기침소리가 은은히 어태도 귀에 들려온다.

22

황홀하게 사방을 둘러봐도 기침하는 내 어머니의 그림자는 또한 볼 수가 없다. 이에 눈물이 솟구쳐 얼굴을 적신다. 등불에게 물어봐도 등불은 말이 없는 것을 어이하리.

肺病者咳喘也. 于今悲思而靜聽, 則吾母之咳喘, 隱隱尙在于耳也. 惚而四瞻, 則咳喘之吾母影, 亦不可 矣. 於是淚湧而面可浴也. 問諸燈, 奈登不語何.

길 가다가 지나가던 아낙네의 밭은기침 소리에도 이덕무는 눈물을 흘렸겠다. 그 슬픔의 내력을 어디에다 묻겠는가? 어머니가 어디로 가셨는지 등불에 물어본들 등불은 말이 없을 터. 서얼인 이덕무에게 어머니야말로 세상에 둘도 없는 분이었을 것이다. 그런 어머니를 여의었으니 그 슬픔을 어찌 다 말할 수 있었겠는가? 그래서 어머니를 말하는 이덕무의 문장에는 곳곳에 말줄임표가 숨어 있다.

그해 음력 12월 7일에 쓴 글에는 이런 구절이 나온다. '공자가 아니었더라면 나는 거의 빌광하여 뛰쳐나갈 뻔하였다. 앞서 한 일을 생각해보니 아마득하기 마치 꿈속만 같다.'

슬픔을 말하지 않고 '공자가 아니었더라면'이라고 말하는 사람. 스스로를 견디지 않으면 안된다라고 말하지 않고 '생선을 맨손으로 뒤집지 말라'고 말하는 사람. 그런 사람의 눈에 맺힌 눈물 자국이 아직도 눈에 보이는 듯하다.

내리 내리 아래로만 흐르는 물인가, 사랑은

딸아이 열무가 태어나기 전부터 나는 자전거 앞에 아이용 의자를 설치할 계획이었다. 하지만 갓 태어난 아이는 내 생각보다 훨씬 작았다. 자전거 앞에 그 아이를 태우고 함께 논둑길을 달리려면 적어도 5, 6년은 지나야 할 것 같았다. 아내와 아이가 처가에 가 있는 동안, 혼자서 동네 한 바퀴 돌고 와 다시 자전거를 아파트 베란다에 넣었다.

열무는 여간해서는 큰소리로 울지 않는 아이다. 시간이 지나면서 이 아이가 과연 어디서 왔을까 하는 처음의 의문은 사라지고 차츰 나도 어렸을 때 저랬을까 하는 궁금증이 일었다. 문을 빠끔히 열고 안을 들여다보면 열무는 쌔근거리며 잠을 잘도 자고 있었다. 아이를 낳고 나서 아내는 깊은 밤이면 말소리를 죽여가며 불만을 털어놓기 일쑤였다. 아무래도 나는 지진아처럼 새로 바뀐 환경을 제대로 이해하지 못하고 있었다. 여러 모로 낯선 일이 많았다. 하지만 깨어 있을 때면 열무는 뭐가 그리 우스운지 나를 보며 웃었다. 그럴 때면 그다지 낯설게 느껴지지 않았다. 우리는 어쨌든 가족이 됐다.

5, 6년은 지나야 자전거 앞에 태울 수 있을 줄 알았는데, 열무의 두번째 여름이 찾아올 때쯤 나는 자전거 앞에 아이용 의자를 설치했다. 태어난 아이는 내 생각보다 무럭무럭 자랐다. 그러고 보면 내가 모르는 일은 정말 많았다. 아버지가 된다는 게 뭘 뜻하는지, 이제 갓 태어난 아이에게 세상이 얼마나 두렵고 놀라운 것인지. 자전거 가게 아저씨가 의자를 설치하는 동안, 내 품안에서 호기심에 가득 차 고개를 갸우뚱거리던 열무는 정작 의자에 앉히려고 드니까 울음을 터뜨렸다. 아무래도 무서워하는 듯해 내 욕심에 괜히 돈만 날렸다는 생각이 들었다.

하지만 집에 돌아와 다시 앉혔더니 고분고분히 앉는 것이었다. 조금 달려보니 소리를 지르고 연신 고개를 돌려 내 얼굴을 바라봤다. 얼굴로 와 부딪히는 바람이 좋았던 모양이었다. 내친 김에 멀리까지, 그러니까 우리 아파트 건너편에 있는 논둑길까지 달렸다. 정말 아름다운 여름이었다. 햇살을 받은 이파리들은 초록색 그늘을 우리 머리 위에 드리웠고 바람에 따라 그 그늘이 조금씩 자리를 바꿨다. 금방이라도 초록색 물이 떨어질 것만 같은 분위기였다. 나무 그늘 아래를 달리면서 나는 "열무와 나의 두번째 여름이다"라고 혼자 말해봤다. 첫번째 여름을 열무는 누워서 보냈고 두번째 여름에는 아빠와 자전거를 타고 초록색 그늘 아래를 달렸다. 세번째 여름은 또 어떨 것인가? 지금 내가 가진 기대 중 가장 큰 기대는 그런 모습이었다.

내가 마지막으로 고향집에 머문 것은 방위병으로 근무하던 시절이었다. 매일 출퇴근하면서 아버지가 늦잠 자는 나를 깨우는 일이 다시 시작됐다. 아버지는 가끔 화를 내면서, 가끔 혀를 차면서 나를 깨웠다. 그러니까 초등학교 시절부터 고등학교를 졸업할 때까지 12년을 반복했던 일이었다. 내가 자라 청년이 되는 만큼 아버지는 노인으로 바뀌어가고 있었다. 내가 방위병 근무를 마치고 서울로 떠나면 그 모든 일들도 이제 다시는 돌아올 수 없는, 기억 속의 일들이 될 테지만 아무려나 그때 나는 그런 생각을 하지 못했다. 세상이 나를 버린 것만 같은 생각에 빠져 있던 그 시절, 나를 사로잡은 것은 정약용의 형인 정약전이었다.

정약용의 집안은 1801년 신유사옥으로 풍비박산이 났다. 이해에 셋째형 정약종은 천주교를 믿는다는 이유로 목숨을 잃었고 둘째형 정약전과 정약용은 각각 강진현 신지도와 장기현으로 유배당했다. 그해 10월, 황사영 백서사건으로 다시 서울로 압송된 이들은 두번째 유배지를 향해 떠났다. 정약전은 흑산도로, 정약용은 강진으로. 이 두 형제는 나주 율정점에서 헤어졌다.

정약용이 유배지 강진에서 18년 동안 생활하면서 5백여 권에 달하는 『여유당전서』를 지은 일은 유명하다. 그에게 『여유당전서』5백여 권이란 폐족의 처지를 벗어나는 일이었다. 하지만 나를 사로잡았던 정약전은 그다지 많은 책을 쓰지 않았다. 정약용도 형의 묘비명에 쓰기를, '공은 책을 편찬하거나 저술하는 데는 게을렀기 때문에 지으신 책이 많지 않다. 『논어난』 2권, 『역간』 1권, 『현산어보』 2권, 『송정사의』 1권이 있는데 모두 귀양 살던 바다 가운데서 지으신 거다'라고 했다. 정약전이 죽은 것은 흑산도에 유배된 지 16년이 지난 1816년의 일이니, 정약용만큼이나 많은 시간이 있었던 셈이다. 그 세월 동안 그는 뭘 한 것일까?

고향을 한 발자국도 떠나지 못하는 신세가 된 나 역시 그처럼 유배됐다고 생각했다. 매일 허송세월을 보내면서 출퇴근하다보니 바닷가에 나와 앉아 뭍을 그리워하는 눈을 거둬 물고기를 들여다보며 『현산어보』를 쓰는 정약전의 모습이 떠올랐다. 결국 『현산어보』란, 그 책에 등장하는 각종 물고기들의 생김새와 생태란, 그리움의 다른 이름이었을 것이다. 뭘 그리워했던 것일까? 나처럼 화려한 서울의 일을? 혹은 앞으로 자신이 할 일들을? 혹시 흑산도에 갇힌 몸이 아니라 자유로운 자신의 영혼을?

방위병 근무를 마치고 나는 영영 집을 떠났다. 이제 아버지는 더이상 늦잠 자는 나를 깨울 필요가 없었다. 나도 더이상 아버지의 간섭을 받을 필요가 없었다. 한때 아버지와 나는 하루도 떨어져 지내지 않는 사이였지만, 이제는 1년에 만나는 횟수가 열 손가락으로 다 꼽을 수 있는 그런 사이가 됐다. 그리고 한동안 나는 그게 자유라고 생각했다.

자유. 아침에 늦게까지 잠잘 수 있는 자유. 내 멋대로 머리를 기를 수 있는 자유. 며칠씩 술을 마시고 쏘다녀도 잔소리 듣지 않을 자유. 그 자유는 감미로웠다. 하지만 오래 가진 않았다. 소중한 것은 스쳐가는 것들이 아니다. 당장 보이지 않아도 오랫동안 남아 있는 것들이다. 언젠가는 그것들과 다시 만날 수밖에 없다. 스물두 살. 나는 정약전이 그저 뭍만 그리워한 줄 알았다. 하지만 그게 아니었다. 정약용이 쓴 「선중씨先仲氏 정약전 묘비명」을 읽는데 내 눈에 문득 이런 구절이 들어왔다.

차마 내 아우로 하여금 바다를 두 번이나 건너며 나를 보러 오게 할 수는 없지 않는가. 내가 마땅히 우이보에 나가서 기다려야 되지.

不忍使吾弟 涉重溟以見我 我當於牛耳堡待之

1801년 11월 21일 목포 쪽과 해남 쪽으로 갈라지는 삼거리 주막거리인 나주 율정점에 도착한 죄인 정약전과 정약용 형제는 다음날 아침 그곳에서 헤어져 각자 자기의 유배지로 떠났다. 이 일을 정약용은 「율정별栗亭別」이란 시에서 '띠로 이은 가게집, 새벽 등잔불이 푸르스름 꺼지려 해 / 잠자리에서 일어나 샛별 바라보니 이별할 일 참담해라 / 그리운 정 가슴에 품은 채 묵묵히 두 사

28

람 말을 잃어 / 억지로 말을 꺼내니 목이 메어 오열이 터지네'라고 노래했다.

그렇게 헤어지고 14년이 지난 1814년 아우 정약용이 유배지에서 풀려나리라는 소식이 들려왔다. 처음 떠나올 때만 해도 흑산도 입구인 우이도에 살았으니 우이도로 잘못 찾아간 아우가 한 번 더 바다를 건너는 수고를 할까봐 정약전은 고집을 피워 우이도로 다시 나갔다. 그리고 거기서 3년을 더 아우를 기다리다가 죽었으니 아우 정약용이 그 얼마나 가슴이 아팠겠는가! 그 묘비명에 '악한 놈들의 착하지 못함을 쌓아가던 게 이와 같았었다'고 쓰는 심정을 알 것도 같다.

유배 16년 동안, 겨우 몇 권의 책만 낸 정약전. 그가 뭍이 아니라 아우를 그리워했다는 사실을, 그 그리움을 잊으려고 물고기들을 하염없이 바라봤다는 사실을 알게 된 것은 내가 마지막으로 집을 떠나고서도 아주 오랜 시간이 지난 뒤였다. 사랑은 물과 같은 것인가. 그 큰사랑이 내리 내리 아래로만 흘러간다. 그런 줄도 모르기 때문에 아이들은 자라 집을 떠나고 어린 새들은 날개를 퍼덕여 날아가는 것이다.

그늘을 돌아나오다 열무가 조용하다 싶어 얼굴을 바라봤더니 자전거 앞자리에 앉은 채로 졸고 있었다. 얼른 방향을 바꿔 돌아서니 이미 잠에 빠져들었다. 어떻게 그 불편한 자전거 앞자리에서 잘 수 있을까 싶어 어이가 없었다. 내려서 안고 가려고 해도 너무 멀리까지 왔기 때문에 빨리 집으로 돌아가 재우고 싶었다. 한 손으로는 핸들을, 한 손으로는 아이를 붙잡고 논둑길을 달려갔다. 길을 걸어가던 사람들이 의아한 표정으로 열무와 나를 바라봤다.

탐스런 초록색으로 물든 들판이 좌우로 펼쳐졌다. 그리고 내 머릿속으로는 어릴 적 일들이 떠올랐다. 갑자기 직장을 그만두신 아버지는 매일 저녁이면 자전거를 타고 퇴근한 직장 동료나 친구들 집에 놀러 갔었다. 물론 그 자전거 앞자리에는 항상 어린 내가 앉아 있었다. 아버지가 친구들과 술을 마시는 동안, 나는 낯선 동네에서 제멋대로 뛰놀다 결국은 쓰러져 잠들었다. 돌아갈 때쯤이면 얼굴이 불콰해진 아버지가 나를 깨웠다. 잠이 덜 깬 얼굴로 나는 열무처럼 어린이용 의자에 올라탔다. 자전거는 가끔 비틀거렸으리라. 나는 가끔 졸았으리라. 하늘에는 별빛이 눈부셨으리라. 아버지는 가끔 노래를 흥얼거렸으리라. 밤길로는 가끔 고장난 백열등이 깜빡거렸으리라. 나는 어른이 되는 꿈도 꿨으리라.

열무와 나의 두번째 여름은 그렇게 끝나고 있었다. 나는 여전히 열무에게 익숙하지 못한 아버지였다. 하지만 내게 아버지가 없었더라면 그마저도 못할 뻔했다. 아이가 생기면 제일 먼저 자전거 앞자리에 태우고 싶었다. 어렸을 때, 내 얼굴에 부딪히던 그 바람과 불빛과 거리의 냄새를 아이에게도 전해주고 싶었다. 아버지에게 받은 가장 소중한 것. 오랜 시간이 흘러도 사라지지 않고 오랫동안 남아 있는 것. 집이 있어 아이들은 떠날 수 있고 어미 새가 있어 어린 새들은 날갯짓을 배운다. 내가 바다를 건너는 수고를 한 번이라도 했다면 그건 아버지가 이미 바다를 건너왔기 때문이다. 나도 이제 열무를 위해 먼저 바다를 건너는 방법을 배워야겠다. 물론 어렵겠지만.

갠 강 4월에 복어는 아니 살쪘어라

. 평생 적금 같은 것을 납입해본 적이 없지만, 적금 만기일이 돌아온다면 그게 4월이면 좋겠다. 그 돈으로 수천 그루의 나무를 사서 대대적인 식목일 행사를 벌이고 싶기 때문이다, 라고 말한다면 아무도 믿을 사람이 없겠고 대단히 단순한 논리지만 4월에는 내 생일이 있기 때문이다(나를 아는 사람들은 적금을 깨어 선물을 준비하기를). 4월생에게는 어쩔 수 없이 해마다 돌아오는 봄이 10개월 가량 납입한 적금 같은 것이다. 4월이 되고 골목길 담장 너머 목련이 두릿두릿한 눈으로 지나는 사람을 바라보고 시장에 딸기가 쏟아져나오면 내 마음은 풍성해진다. '또다시 크리스마스'가 아니라 '또다시 4월'인 셈이다.

그래서 나는 선천적으로 봄꽃에 대단히 취약한 유전자를 타고났다. 기점은 입춘부터다. 책상 앞에 붙여놓는 '立春大吉'이라는 글자는 내 마음에 첨가하는 이스트와 같다. 그때부터 마냥 봄을 기다리게 되는 마음은 우수에 이르러 절정에 이르는데, 대개 그 즈음이면 텔레비전에서는 "내일부터 비가 내리며 한 차례 꽃샘추위가 지나갈 예정입니다"라는 예보가 나오게 마련이고 해마다 어김없이 나는 그 멘트에 귀대 전날 밤, 옛 애인에게 바람맞은 휴가 장병의 꼴이 되고 만다. 봄이라는 것에 입술이라도 있다면 전화를 걸어 왜 안 오느냐고 따져 묻기라도 할 텐데 그럴 리 만무. 결국 우수를 지나 경칩에 이르는 동안 내 마음은 바람 빠진 풍선처럼 시들해진다.

내가 삶이라는 건 직선의 단순한 길이 아니라 곡선의 복잡한 길을 걷는다는 사실을 깨닫는 것은 그때다. 그게 사랑이든 복권 당첨이든, 심지어는 12시 가까울 무렵 버스를 기다리는 일이든 기다리는 그 즉시 내 손에 들어오는 것은 하나도 없다. 효율성과 경제성의 시각으로 냉정하게 검토하자면 삶이라는 건 대단히 엉성하게 만든 물건이다. 원하는 모든 것을 원하는 순간에 얻을 수 있다면 삶이 얼마나 깔끔할까? 그렇다면 술에 취해서 통화를 거부하는 사람의 음성사서함에다 대고 질질 짜는 소리를 한다거나 고작 변심한 애인 때문에 M16A1 소총이라는 무시무시한 흉기를 들고 사회에 나온다거나 피곤한 하루를 역시 피곤한 운전기사와 함께 버스의 배차간격의 문제점이라는 묵직한 주제로 토론하며 끝내는 일 따위는 없어질 텐데.

하나 둘 꽃소식이 들려오는 것은 바로 마음이 푹 꺼져들어간 그날부터다. 내 마음은 도로표지판처럼 하얀 화살표를 만들어 남해안을 가리키게 된다. 봄, 전방 338킬로미터. 교양국어 강의 시간처럼 해마다 봄이면 신문마다 실리는, 작년의 내용과 그다지 다르지 않은 남쪽 지방 꽃소식을 보다가 결국 참을 수 없게 되면 나는 짐을 챙겨들고 떠나게 된다. 통영, 섬진강, 해남 등 지도에 실린 그 이름들은 저마다 다르지만, 그 무렵이면 그곳의 이름은 같아진다. 봄나라.

언젠가는 지리산 남원 쪽 실상사는 아직 늦겨울이었는데, 산 너머 하동 쌍계사는 봄이었던 것을 경험한 적이 있었다. 국립공원 입장료를 내고 지리산 관통도로를 넘어왔는데, 돌이켜 생각하니 그건 봄나라로 입국하는 절차처럼 느껴졌었다. 일단 그렇게라도 봄을 느끼고 나면 이제 겨울은 한동안 찾아오지 않는다. 그나마 삶이 마음에 드는 것은, 첫째 모든 것은 어쨌든 지나간다는 것, 둘째 한 번 지나가면 다시 돌이킬 수 없다는 것.

봄을 여러 차례 겪으면 그처럼 기다리지 않으면 봄이 오지 않는다는 사실을 알게 된다. 봄이 지나가고 나면 그뿐, 내 한 해는 다 가고 말아 삼백 예순 날 하냥 섭섭해 울지 않으면, 꽃이 피기까지 찬란한 슬픔의 봄을 아직 기다리고 있지 않으면 안된다는 사실을 깨닫게 된다. 아직은 이 생에서 졸업할 생각이 없으니까 삶이 뭔지 모두 알고 싶은 욕망은 없지만, 젊은 날의 순정을 빼앗기고 나니까 그 정도 깨달음은 내게도 생기게 됐다. 그럴 때 연주회가 시작되기만을 간절히 기다리며 하염없이 이미 몇 번이나 읽은 프로그램을 다시 읽는 것처럼 책을 읽게 된다.

봄을 기다릴 때, 내가 읽는 책들은 주로 시집들이다. 봄에 읽는 시의 원형이라는 게 있다면 바로 당시다. 시인들이란 모자란 것, 짧은 것, 작은 것들에 관심이 많은 자들이니 계절로는 덧없이 지나가는 봄과 가을을 지켜보는 눈이 남다르다. 하지만 나 같은 경우에는 가을에 당시를 읽는 경우는 거의 없다. 가을에는 뭔가를 기다릴 일이 없으니까 책을 들여다보는 일은 없는 것이다. 당시라면 내게는 임창순 선생의 『당시정해』다. 소리내 읽다 보면 입에서 향기가 날 것 같다. 세상 살아가는 데 그런 향기 입에 담고 친구와 술 마시는 일보다 윗길인 일이 없다.

당시를 읽고도 시간이 남으면 그 다음은 하이쿠다. 새책방에는 없고 헌책방에만 돌아다니는 『일본인의 시정—하이쿠편』은 벌써 몇번째 내가 산 책이다. 하이쿠 역시 읊는 맛이라 병기된 히라가나를 더듬더듬 읽으며 5 · 7 · 5조를 느끼는 맛은 각별하다. 도대체 '세상은 사흘 / 보지 못한 동안에 / 벚꽃이라네' 같은 시를 읽지 않고 어떻게 봄을 기다린다고 할 수 있을까?

하지만 결국 마지막 시집까지 읽은 뒤에야 동네에서도 꽃을 볼 수 있으니 그게 바로 이덕무, 유득공, 박제가, 이서구 등이 시를 모아서 펴낸 합동시집인 『사가시선』이다. 나는 이 시집을 2000년에 구해서 그간 여러 차례 읽었는데, 한문에는 봉사 단청 구경하는 꼴이나 마찬가지니 그 네 분의 시인들이 고심에 고심을 거듭

해서 골랐을 문장을 여태 제대로 즐기지 못하고 있다. 내게 봄을 즐길 날은 얼마나 남았을까? 이 시집을 몇 번 더 읽어볼 수 있을까? 내게 소원이 있다면 원문으로 이 시집을 읽는 일이다. 「풍경」이란 제목으로 옮겨진 이서구의 시를 덧붙인다.

곡식 짐 실은 배 사이로 강 물결 일렁이고
어부는 뜸머리에 앉아 원추리 걸고 있네
갠 강 4월에 복어는 아니 살쪘어라
버들강아지 흩날려와 물에 둥둥 실려 가네
荳穀船間漾晚汀 蓬頭漁子理新筝
晴江四月河豚瘦 柳絮紛飛半化萍

내일 쓸쓸한 가운데 술에서 깨고 나면

　기억이 가물거리지만 무라카미 하루키의 단편소설 중에 장례식장에 가기 위해 친구에게 검은 양복을 빌리는 사내가 나오는 작품이 있다. 또 양복을 빌리러 왔는가? 올해는 유난히 사람이 많이 죽는군. 양복을 빌리러 가서는 친구와 꼭 소설에나 나올 것 같은 대화를 나누면서 시작하는 소설이었다. 소설은 순서에 관계없이 끝까지 지켜봐야만 하는 로또복권 추첨 방송과는 다르니까 대개 앞부분의 10매 정도만 읽으면 이 소설을 계속 읽을 것인지 말 것인지 결정할 수 있다. 그 소설은 계속 읽을 수 있는 경우였다. 어쨌든 누가 죽었는지는 알아야만 책을 덮을 수 있는 법이니까.

　그러고 보니 어느 수필에선가 하루키가 자신이 가진 양복이라고는 미국에 있을 때 구입한 폴 스튜어트 한 벌뿐이라고 쓴 걸 본 적이 있다. 글에서는 마치 하는 수 없이 비상시를 대비해 싸구려 양복을 하나 장만한 것처럼 굴었지만, 그 말을 믿을 사람은 아무도 없다. 내게 양복이 반도패션을 뜻한다면 하루키에게는 폴 스튜어트인 것이다. 내 인세로는 착용이 불가능한 양복이다. 어쨌든 한 벌뿐인 폴 스튜어트가 장례식에나 어울릴 만한 검은색일 리는 없을 테니까 도쿄 도지사에 재선된 소설가 출신의 이시하라 신타로 같은 사람이 급서하기라도 한다면 동아시아 평화에는 큰 도움이 될지언정 하루키의 폴 스튜어트에는 하등의 도움이 되지 않을 것이다(그렇기는 해도 이시하라 신타로의 장례식에 하루키가 참석하는 모습 역시 상상하기는 쉽지 않다).

그간 하루키가 팔아치운 책의 표지를 모두 모아 쌓아놓으면 그간 내가 간신히 판 책의 높이와 거의 비슷해지겠지만, 그런 점에서, 그러니까 장례식에 입고 갈 검은 양복이 없다는 점에서 하루키와 나는 똑같은 처지다. 그리하여 2003년 초, 소설가 이문구 선생이 돌아가셨을 때 문득 나는 '이제 검은 양복 한 벌쯤은 필요한 나이가 됐군'이란 생각을 했다. 그건 말해놓고 보니 굉장히 끔찍한 느낌이 드는 경우였다. 화가 나서 '난 엄마가 없어졌으면 좋겠어!'라고 외쳤다가는 혼자 방구석에 처박혀 울고 싶어지는 느낌과 비슷했다. 그게 반도패션이든 폴 스튜어트든 일단 구입했다면 열심히 입고 다니는 게 본전을 뽑는 일일 텐데, 내가 저승사자도 아니고 어찌 그 양복을 최대한 활용할 수 있기를 기대한단 말인가. 왜 검은 양복 따위는 친구에게 빌려 입어야만 하는 것인지 그제야 이해가 갔다.

하루키 얘기를 마저 하자면, 『상실의 시대』에는 '죽음은 삶의 대극'으로서가 아니라 그 일부로서 존재해 있다'라는, 이성교제 문제로 아버지에게 심하게 꾸중을 들은 여고생이 자살사이트 익명 게시판에 적어놓을 만한 문장이 나온다. 원서에는 어떤지 모르겠으나, 문학사상사에서 낸 번역본에는 혹시 독자들이 이 문장을 놓칠까봐 고딕으로 인쇄한 게 눈에 띈다. 한샘국어식으로 따져서 밑줄을 쫙 그을 만한 중요한 문장인가보다. 그래서 우락부락한 인간들이 모여 앉은 흡연구역에서 담배 한 대 피울 정도의 시간만큼 생각해봤더니 그건 맞는 말이었다. 우리 눈에 보이지 않을 뿐, 푸른 하늘에도 별은 떠 있듯 평온한 이 삶의 곳곳에는 죽음이라는 웅덩이가 숨어 있다.

하루를 택해 나는 책상에 앉아 내 삶에는 어떤 죽음들이 숨어 있는지 하나하나 적어봤다. 오래 전에 친척들 중 나이 많은 분들이 돌아가셨을 때를 제외하자면 내가 처음 죽음이라는 걸 인식한 것은 문학평론가 김현 선생의 죽음이었다. 그분이 돌아가시고 난 뒤, 멤피스를 어슬렁거리는 엘비스 팬처럼 반포치킨에 가서 치킨 반 마리와 생맥주 한 잔을 마시기는 했지만 살아 계실 때는 일면식도 없었다. 하지만 그때 나는 누가 뭐래도 시인이었다. 그것도 한 시간에 시 한 편씩을 써내려가던 시인이었다. 내 시를 알아볼 양반은 그 사람뿐이라고 생각하던 어느 날, 돈이 없어 서울대학교 부속병원 응급실 한쪽 벤치에서 하룻밤을 보낸 뒤, 대학로 마로니에 공원에 앉아 바닥에 굴러다니던 스포츠신문을 읽는데 김현 선생이 죽었다는 기사가 눈에 들어왔다.

'어느 날 저녁, 지친 눈으로 들여다본 석간신문의 한 귀퉁이에서, 거짓말처럼, 아니 환각처럼 읽은 짧은 일단 기사는, 「제망매가」의 슬픈 어조와는 다른 냉랭한 어조로, 한 시인의 죽음을 알게 해주었다. 이럴 수가 있나, 아니, 이건 거짓이거나 환각이라는 게 내 첫 반응이었다'라는, 기형도의 시집 『입 속의 검은 잎』에 부친 김현의 해설 첫 문장은 온전하게 그의 죽음을 향해 돌려줘야만 했다. 선생님, 거기는 어떻습니까? 누런 해가 돋고 흰 달이 뜹니까? 그에게 보여줘야만 했을 수많은 시들은 그렇게 해서 모두 사라졌다.

그 다음은 아무래도 김일성인 듯하다. 내 혁명가적 기질을 알아볼 이는 그 사람뿐이라고 생각했기 때문이라고 한다면 뻥이고, 죽든 말든 나와는 아무런 상관도 없을 사람이었다. 그런데 어떻게 된 일이었는지 전혀 상관이 없지 않았다. 김일성이 죽던 날, 나는 미국 월드컵에 자극받아 선후배들과 축구 시합을 했다. 가히 여름도 한복판이라고 할 수 있을 정도로 무더운 날이었다. 전반전 15분을 뛰고 나니까 구토가 치밀어 올랐다. 그날, 내가 속한 팀은 은평구 팀에게 8대 2로 대패했다. 이상한 일이지만, 경기가 끝나고 나자 세계가 조금 변한 것 같았다. 현기증으로 세상이 노랗게 변했다거나 그런 건 아니었다. 그냥 축구 경기를 시작하기 전과 시작한 후가 조금 달라진 것 같았다. 지금도 나는 내 인생에서 세계가 한 번 변한 때가 있었다면 그건 바로 그 축구 경기가 진행되던 1시간 남짓 사이였다고 생각한다. 달리 그 까닭을 찾을 수 없기 때문에 그건 아무래도 그날 전해들은 김일성의 죽음 때문이라고 말할 수밖에 없다.

김광석은 내가 5집을 미친 듯이 손꼽아 기다리던 겨울에 그만 죽어버렸다. 그해에 나는 대학을 졸업했다. 학업 성적이 우스웠으므로 취직 따위는 애당초 마음에 두지 않았다. 그렇지 않더라도 이렇게 청춘이 끝나버릴 수는 없는 일이라고 우겨야 할 참이었다. 무슨 까닭인지 그해 겨울에 나는 김광석이 다음 앨범에서는 모던 포크로 완전히 복귀할 것이라고 떠들고 다녔다. 무슨 마음으로 그렇게 떠들었을까? 내 젊음에서 김광석의 노래를 빼고 나면 그 끝을 알 수 없는 침묵만 남을 테니까. 그런 김광석이, 술에 취해서, 그것도 집에서 목을 맸다는 소식을 듣고 나는 울어버렸다. 외로운 그 어느 집 한쪽 구석에서 내 청춘도 그렇게 목을 맨 듯한 느낌이었다. 그러나 청춘은 생각보다 오래갔다.

아마도 같은 해 봄이었을 것이다. 누군가가 내게 전화를 걸어 소설가 김소진 선배가 암으로 죽었으니 문상가자고 말했다. '절대로 가면 안돼!'라는 문장이 온몸으로 육박해왔다. 왜 가면 안되는데? 도무지 말이 안 통하는 그 느낌에 반항하듯 나는 장례식장을 찾아 책 날개에 실린 사진을 확대해놓은 영정에 두 번 절한 뒤, 도망치듯 집으로 돌아왔다. 그리고 며칠간 앓았다. 소설이 뭔데? 청춘이 도대체 뭔데? 다 귀찮아졌다. 지긋지긋했다. 남은 평생 소설 따위는 쓰지 않았으면 좋겠다고 생각했다. 나는 사진관에 가서 증명사진을 찍은 뒤, 문방구에서 이력서 용지를 사와서 여기저기 취직원서를 냈다. 그리고 양복에 넥타이를 매고 일산에서 장충동까지 매일 왕복 세 시간의, 여행에 가까운 출퇴근을 했다. 버스에 서서 창 밖을 내다보노라면 때로 김소진 선배의 영정이 떠올랐다. 겨울 버스, 빼곡히 들어찬 사람들의 입김이 어린 뿌연 유리창 위로 미끄러지는 한 줄기 물방울 흔적 사이로 청춘은 영영 빠져나갔다.

때로 쓸쓸한 가운데 가만히 앉아 옛일을 생각해보면 떨어지는 꽃잎처럼 내 삶에서 사라진 사람들이 하나 둘 보인다. 어린 시절이 지나고 옛일이 그리워져 자주 돌아보는 나이가 되면 삶에 여백이 얼마나 많은지 비로소 알게 된다. 그 빈자리들이 그리워질 때면 이렇게 시작하는 두보의 시 「뜰 앞의 감국 꽃에 탄식하다歎庭前甘菊花」를 읽을 만하다.

처마 앞 감국의 옮겨 심는 때를 놓쳐
중양절이 되어도 국화의 꽃술을 딸 수가 없네
내일, 쓸쓸한 가운데 술에서 깨고 나면
나머지 꽃들이 만발한들 무슨 소용이 있으리

簷前甘菊移時晚 靑蘂重陽不堪摘

42

明日蕭條盡醉醒 殘花爛漫開何益

　그렇게 내가 사랑했던 이들이 국화꽃 떨어지듯 하나 둘 사라져
갔다. 꽃이 떨어질 때마다 술을 마시자면 가을 내내 술을 마셔도
모자랄 일이겠지만, 뭇꽃이 무수히 피어나도 떨어진 그 꽃 하나
에 비할 수 없다는 사실은 다음날 쓸쓸한 가운데 술에서 깨어나
면 알게 될 일이다. 가을에는 술을 입안에 털고 나면 늘 깊은 숨
을 내쉬게 된다. 그 뜨거운 숨결이 이내 서늘한 공기 속으로 스며
들게 된다. 그동안 허공 속으로 흩어진 내 숨결들. 그처럼 내 삶
의 곳곳에 있는 죽음들. 가끔 그들이 지금은 어디서 무엇을 하는
지 궁금해질 때가 있다.

그 사람들은 모두 어디로 간 것일까?

　고향은 택시의 미터기가 소용없는 곳이었다. 시내를 벗어나지 않는다면 기본요금으로 그 어디든 갈 수 있을 정도로 작은 도시였다. 나는 가게가 있던 그 거리에서 태어나 고등학교를 졸업할 때까지 살았다. 반 아이들 이름을 모두 외우듯 나는 그 거리의 집들을 모두 알고 있었다. 그 거리는 한국전쟁이 끝나고 재건된 모습 그대로 변함없이 몇십 년을 이어왔다. 그러던 게 1990년대 접어들면서 바뀌기 시작했다. 작은 가게들이 하나둘 문을 닫고 체인점이나 대리점이 그 자리를 메워나가기 시작했다.

　제과점을 하던 우리 집도 예외는 아니어서 그 즈음 점점 손님이 끊어지기 시작했다. 그 세월 동안 나는 자라 청년이 됐는데 가게나 그 거리는 몰락하기 시작한 셈이다. 그 무렵, 커피를 마시며 창 밖을 바라보면 애잔한 마음이 들었다. 우리 형제는 크라운베이커리나 파리크라상 같은 체인점으로 바꿔야만 가게가 망하지 않을 것이라고 말하곤 했다. 그건 하나마나한 얘기였다. 왜냐하면 그럴 만한 돈이 없다는 사실을 잘 알고 있었으니까. 그 즈음 창 밖을 내다보면 뭔가 지나가는 게 언뜻언뜻 눈에 보였다. 바람이라고 생각하겠지만, 그건 덧없이 흘러가는 세월이었다.

우리 가게 옆집이었던 남경반점이 야래향으로 바뀐 것도 그 즈음의 일이었다. 장개석의 사진과 대만의 풍광을 담은 달력이 걸려 있던 남경반점은 중국인 진씨가 운영하던 가게였다. 박정희 정권 아래서 여러 어려움을 겪었지만 남경반점은 꿋꿋이 버텨나갔다. 진씨에게는 아들 하나와 딸 하나가 있었는데, 둘 다 대륙 기질이었는지 이목구비가 또렷하고 키가 커서 어딜 가더라도 눈에 띄는 아이들이었다. 진씨는 그 아이들을 대만으로 유학 보내는 데 남경반점에서 번 돈 대부분을 써버렸다. 그 거리의 오래된 가게들처럼 남경반점도 점점 허술해지기 시작했다. 그러니까 남경반점이 사라지는 것도 시간문제로 보였다.

그러던 어느 날, 대만으로 유학 갔던 아들이 돌아왔다. 이미 세상을 떠난 진씨는 대만에 정착시키고 싶었던 아들이 한국으로 다시 돌아오리라고는 예상하지 못했을 것이다. 더구나 대만의 대학교까지 졸업한 그 아들이 자기처럼 중국집을 하리라고는. 이윽고 남경반점 간판이 내려지고 야래향이라는 네온사인 간판이 올라갔다. 야래향은 그 거리에서 보기 드문 중국집이었다. 호화스러운 실내 장식에 자장면 가격이 다른 중국집의 두 배였다. 나는 그게 도통 진씨 아들의 오기처럼 보였다. 이는 위태위태한 오기였다. 그리고 야래향은 구멍이 뚫린 대형 선박처럼 아주 천천히 몰락해갔다. 그 거리에 살았던 사람으로, 그리고 진씨의 아들 딸과 이웃으로 지낸 사람으로 그 광경을 지켜보는 일은 아주 괴로운 일이었다.

내가 최북이라는 18세기 화가를 알게 된 것은 1990년대가 저물어가던 무렵이었다. 새천년이 다가온다고 온 세상이 떠들썩하던 때였으니까 고향 거리의, 내가 알던 가게는 대부분 사라진 뒤의 일이었다. 심지어는 이마트 같은 대형 할인점까지 생겼으니 작은 소매상들이 망하는 것은 당연했다. 한때 지물포가, 철물상이, 왕자고무신 가게가 있던 자리를 유명 메이커 대리점이 차지했다. 한때는 남경반점이, 또 한때는 야래향이 있던 자리는 모두 부숴지고 커피숍과 노래방과 옷가게가 들어섰다. 과연 새천년은 그런 식으로 다가오고 있었다. 한때 손바닥처럼 그 내력을 낱낱이 알던 가게들의 거리가 낯선 곤충의 껍질처럼 무감각해졌다.

최북을 알자마자 나는 그에게 매료돼 꼭 한 번은 소설로 쓰고야 말겠다고 결심했다. 최북이 애꾸가 된 사연을 알게 되면서부터다. 19세기 사람 조희룡은 『호산외사壺山外史』란 책에서 한 귀인이 최북에게 그림을 요구했는데 최북이 이를 거절하자 그 귀인이 최북을 위협했다고 전한다. 이에 최북은 분노해 '남이 나를 저버리느니 차라리 내 눈이 나를 저버린다'라고 말하며 송곳으로 한쪽 눈을 찔러 애꾸가 됐다고 한다. 대단한 기세, 대단한 오기가 아닐 수 없다.

하지만 문제는 그만큼 대단한 화가냐 하면, 같은 시대 사람 단원 김홍도를 칭찬하는 말 가운데 '최북이 취해서 함부로 욕하면서 자기가 최고라고 했던 것과 단원이 어찌 같으리오. 최북은 궁사窮死했고 그림값도 쌌다네'라는 모욕적인 구절이 나올 만큼 그림의 질이 들쭉날쭉했다는 점이었다. 그렇다면 오기다. 자기 손으로 자기 눈을 찌른 것은 오기에 불과했다. 나는 그 오기의 세계가 대단히 매력적이었다. 이를 조희룡은 '北風烈也', 그러니까 '북풍(최북의 바람)이 매섭기도 하구나'라는 말로 표현했다.

온갖 수수께끼로 점철된 최북의 일생은 역시 수수께끼로 끝났다. 어떤 사람은 그가 서울의 어느 여관에서 죽었지만 그게 언제인지는 알지 못하겠다고 말하지만 동시대 사람 신광하는 그가 어느 겨울 술에 취해 돌아오다가 잠든 채 폭설에 묻혀 죽었다고 남겼다. 이에 신광하는 '君不見崔北雪中死(그대는 보지 못하는가, 최북이 눈 속에서 죽은 것을)'로 시작하는 유명한 「최북가崔北歌」를 썼다.

죽음은 모두 덧없기 짝이 없지만, 그 중에서도 잔인하기 이를 데 없는 죽음이 있는 법이다. 중인으로 평생 궁핍에 시달리며 싸구려 그림을 그려 팔았던 최북의 죽음이 꼭 그런 모양이다. 그래서 훌륭한 그림은 얼마 남지 않았고 다만 눈을 찌르고 '최북이 죽을 곳은 이런 절경'이라며 금강산 구룡연에 뛰어들고 재상댁 자제들에게 '그림을 모른다면 다른 것은 또 무엇을 아느냐'며 소리지르던 일화만 무성하게 남아 있다. 신광하의 「최북가」는 그런 그를 영생케 만드는 조사弔辭였지만, 어쩌면 이 시의 참뜻은 다음과 같은 구절에 있는 것인지 모른다.

담비가죽 옷에 백마를 탄 이는 뉘 집 자손이더냐.
너희들은 어찌 그의 죽음을 애도하지 아니하고 득의양양하는가.
貂裘白馬誰家子 汝曹飛揚不憐死

그러니까 당대에 최북은 위대한 화가로 죽은 게 아니라 실패한 화가로 죽은 셈이다. 위의 말은 최북의 죽음을 애도하지 않는 사람들에 대한 훈계를 담았으니까. 하긴 그렇다. 중인이라는 신분 때문에, 궁핍 때문에 그처럼 몰락하는 사람이 한둘이겠는가. 누구도 자기 삶이 어떻게 끝날지 알 수 없으니 최북의 죽음을 두고 애도하지 않는 사람들의 심정을 이해하지 못할 바는 아니다. 그렇지만 그 오기는 과연 무엇인가? 화가가 자신의 눈을 찌르다니. 왜 어떤 사람들은 스스로 파멸 속으로 뛰어드는 것일까?

아주 천천히, 야래향이 망한 뒤로 진씨네는 그 거리에서 사라졌다. 떨어져내리는 은행나무 잎새처럼 뜬소문만이 무성하게 거리를 메웠다. 누군가는 진씨네 딸이 정신병에 걸렸다고 했다. 누군가는 그들이 모두 대만으로 떠났다고 말했다. 이제는 다른 도

시들이나 마찬가지로 낯설어진 고향 거리를 걸어갈 때면 유령의 형상으로 보이는 이들이 있다. 그 사람들은 모두 어디로 간 것일까? 다른 어떤 동물도 죽을 줄 아는 길로 걸어가지 않는데, 왜 사람만은 그게 자기를 파멸시키리라는 것을 알면서도 스스로 눈을 찌르는 것일까?

은은 고령 사람인데

책을 읽다가 문득문득 목이 메어와 갈피를 덮는 일은 요 몇 년 새 얻은 버릇이다. 쓸데없는 일에 관심이 많다고 핀잔 꽤나 듣는 처지고 보니 『조선조 문인 졸기』 따위의 책을 펼치는 일이 많다. 이 책은 『조선왕조실록』에서 조선시대 이름난 문인들의 죽음을 다룬 구절만 가려 뽑았다. 세상에 이런 책도 쓸모가 닿는 곳이 있을까 생각했는데, 그 쓸모라는 게 결국 내 가슴을 울리는 일이었나보다. 성종 때 태어나 연산군 때 죽은 사람 중에 박은朴誾이란 분에 대한 글이 눈에 들어왔다.

"은은 고령 사람인데. 어려서부터 총명이 뛰어나 글을 잘 지으며 기억을 잘하고 힘써 배워서 나이 18세에 급제했다. 마음을 정하고 행위를 바로하여 늘 옛사람과 같기로 스스로 목적했다. 문장에 있어서는 타고난 것이 매우 높고 생각이 샘솟듯 하여 한때의 글 잘하는 선비가 다 스스로 미치지 못한다고 여겼다."

이 사람의 졸기卒記는 간단하다. '연지시살지, 시년이십육然至
是殺之. 時年二十六'. 실록은 왕이 (그 정직함을 미워해) 결국 그를
죽이니 그 나이는 26세 때였다고 간단하게 전한다. 실록이 전하
지 않는, 그 열 글자 속에 숨은 스물여섯 살의 회한과 아쉬움과
슬픔을 헤아리는 것은 모두 다 내 몫이다. 카드결제일과 원고마
감일 같은 것을 기억하는 것만으로도 부족해 이런 것까지 마음속
에 짊어지고 살아야 하니 여간 고달픈 인생이 아니다.

소설을 쓰다보면 결국 '然至是殺之. 時年二十六', 이 열 글자
를 이기지 못하는 것은 아닌가 하는 강박관념에 사로잡히게 된
다. 살아오면서 꽤나 많은 글자를 써왔지만, 이 열 글자에 육박하
는 글자를 쓴 적은 없었다. 큰 얘기에만 관심을 두던 20대가 지나
고 나니 삶의 한쪽 귀퉁이에 남은 주름이나 흔적이 보이기 시작
한다. 대다수의 사람들은 그 주름이나 흔적처럼 살아가다가 사라
진다. 머리로는 그걸 이해하지만, 마음으로는 아직도 이해하지
못하니 책을 읽다가 문득문득 목이 메는 구차한 짓을 되풀이하는
셈이다.

목이 메고 마음이 애잔해지는 것은 모두 늦여름 골목길에 떨어
진 매미의 죽은 몸처럼 자연스럽게 생기는 여분의 것에 불과한
데, 지난 몇 년간 나는 거기에 너무 마음을 쏟았다. 이젠 알겠다.
역사책의 갈피가 부족해 거기까지 기록하지 않은 게 아니었다.
마음 둘 필요없는 주름이나 흔적이기 때문이다. 하지만 나는 자

꾸만 그런 것들에 목이 멘다. 예컨대 윤치호가 쓴 일기를 읽다 보니 만세 사건으로 온 나라가 떠들썩하던 1919년 9월 12일의 일기가 얼른 눈에 들어왔다.

"오후에는 집에 있었다. 3시 20분쯤 예쁘장하게 생긴 여학생이 찾아왔다. 그녀는 조선인민협회 명의의 서한을 내밀면서 조선독립을 위해 자금을 대달라고 요구했다. 난 나 자신과 내 가족이 위험에 처할 수 있는 만큼 돈을 줄 수가 없다고 말했다. 아울러 독립운동가들이 생명의 위협을 무릅쓰고 조선에 잠입하지 못하면서, 내게는 생명을 담보로 해서 자기들에게 돈을 대라고 요구하는 게 희한한 일이 아닐 수 없다고 솔직하게 말했다. 그녀는 시무룩한 표정으로 서한을 챙겨서 가버렸다."

일기는 여기서 끝나지만, 내 마음은 다시 그 예쁘장하게 생긴 여학생을 따라 윤치호의 집을 나선다. 사라진 나라 대한제국에서 태어났을 그 여학생은 얼마나 실망했을까? 윤치호의 집 앞에다 침이라도 뱉었을까? 아니면 도저히 넘을 수 없는 벽 앞에서 절망했을까? 윤치호의 변명을 듣는 순간, 그 여학생의 가슴속에서 꺼져버렸을 불빛. 나는 그 불빛을 상상하고 그 불빛에 매료되고 그 불빛에 빠져든다.

작년 여름 말복 지나고 처서가 오기 전의 그 일주일 동안, 나는 제주도에 있었다. 서울과 달리 제주도는 여름과 가을 사이의 맑은 날이 계속 이어졌다. 구름의 모양은 바람에 따라, 바다의 빛은 햇살의 각도에 따라 순간순간 바뀌어갔다. 사이에 있는 것들, 쉽게 바뀌는 것들, 덧없이 사라지는 것들이 여전히 내 마음을 잡아끈다. 내게도 꿈이라는 게 몇 개 있다. 그 중 하나는 마음을 잡아끄는 그 절실함을 문장으로 옮기는 일. 쓸데없다고 핀잔준다 해도 내 쓸모란 바로 거기에 있는 걸 어떡하나.

사공서는 다시 노진경을 만났을까?

소설을 쓰고 나서부터 간혹 만나는 사람 중에는 "당신에게는 글쓰는 재능이 있지 않느냐"고 말하는 사람들이 있어 놀랄 때가 있다. 언젠가 기타리스트인 이병우 씨를 만났을 때의 일이었다. 열다섯 살 무렵부터 클래식 기타를 연습해왔으나 내 기타 실력은 아직도 악보를 보고 겨우 음을 짚어나가는 수준에 불과하다. 그래서 어떻게 하면 기타를 그렇게 잘 칠 수 있느냐고 물었더니 이병우 씨도 그런 질문을 자주 받았는지 그럼 당신은 어떻게 해서 소설을 그렇게 잘 쓰게 됐느냐고 되물었다. 잘 쓰게 되다니, 라는 생각은 전혀 하지도 않은 채 나는 "글쎄요"라고 대답했다. "아무래도 시간이 많아서." 그러자 이병우 씨가 말했다. "저도 마찬가지예요."

이병우 씨야 나를 위로하는 마음에서 자기도 시간이 남아돌아 기타를 잘 치게 됐다고 얘기했는지 모르지만, 나는 진짜 글쓰는 재능이 풍부했다기보다는 시간이 너무 많았다. 상대적으로 짧은 군복무를 마치고 대학에 복학하고 나니 아는 친구들이 하나도 없었다. 하지만 그것보다 더 불행한 일은 내게 아무런 목표도 없었다는 점. 취직할 생각은 애당초 없었고 그렇다고 딱히 소설가가 되고 싶은 마음도 없었다. 일주일에 몇 시간 되지 않는 학교 수업을 마치고 나면 할 일이 없었다. 만약 주변에 마리화나라도 있었으면 그걸 피우면서 시간을 보냈을 텐데, 손 닿는 곳에 있는 것이라고는 그저 낡은 286컴퓨터뿐이었다.

정릉 산꼭대기에 있던 자취방은 책받침만한 들창으로 보이는 교회의 십자가를 제외하면 아무런 풍경도 가지지 못한, 가난한 곳이었다. 찾아오는 사람도 없는 그곳에서 나는 한국어 멘트가 나오지 않는 AFKN FM을 하루종일 틀어놓고 자판을 두들기며 소설을 썼다. 왜 시간을 보내는 다양한 방법이 있지 않은가? 입대하기 전에는 하루하루가 너무 지겨워 성북동에서 압구정동까지 걸어갔다가 해가 떨어져 다시 버스를 타고 돌아온 적도 있었다. 방위 시절에는 퇴근하고 집에 돌아와 토마스 만의 『마의 산』을 컴퓨터에다 하염없이 입력한 적도 있었다. 내가 뭔가를 쓰게 됐다면 그와 비슷한 이유 때문이었다. 결론적으로 보자면 20대 초반의 나는 시간의 흐름을 견딜 만큼 강한 몸을 지니지 못했다. 그런 이유가 왜 이런 결과로 이어지는지는 모르지만, 어쨌든 그래서 나는 소설가가 됐다.

그의 문장이나 외모와 비교할 수는 없지만, 어떤 점에서 마루야마 겐지와 나는 비슷한 경우다. 마루야마 겐지가 소설을 쓰겠다고 결심한 것은 스물두 살 때의 일이다. 통신사로 취직한 회사가 인수, 합병당하는 심각한 상황에 빠졌다. 그 결과는 7백 명에 달하는 사원의 해고였다. 당연히 상사니 부하니 하는 구분도 없어지고 저마다 조금이라도 자기 몫을 더 챙기기 위해 싸우는 판국이었다. 마루야마가 회사에서 소설을 쓰기 시작한 것은 이때부터였다.

회사에서 소설을 쓰면 좋은 점은? 역시 회사 책상 앞에 앉아 회사 노트에다가 회사 볼펜으로 소설을 쓸 수 있으며 다 쓰게 되면 회사 봉투에 넣어 회사의 비용으로 문학잡지사에 투고할 수 있다는 점이겠다. 그저 상상할 뿐이지만, 마루야마 겐지가 불안감이 감도는 회사 책상에 앉아 난생 처음으로 소설을 쓰는 그 광경은 애잔하기만 하다. 이건 고시 공부하듯이 절에 들어가 벼랑 끝에 매달린 심정으로 소설을 쓰는 차원과는 사뭇 다르다. 이런 식의 소설 쓰기는 왜 쓰는가라는 질문을 거부하기 때문이다.

어떤 사람이 소설을 쓰게 되는 데는 여러 가지 이유가 있다. 예컨대 기호학자였던 움베르토 에코는 "너는 중세에 대해서도 잘 알고 추리소설에 대해서도 잘 아니 중세를 다루는 추리소설을 한 번 써보라"는 여자친구들의, 삼단논법에 가까운 권유에 혹해서 거의 쉰 살이 가까워 『장미의 이름』을 썼다. 이건 좋은 여자친구를 뒀을 때 가능한 얘기니까, 쉰 살이 가까워지더라도 여자친구는, 그것도 최소한 삼단논법 정도는 구사할 수 있는 여자친구는 반드시 있어야 한다는 교훈을 준다.

S. S. 반 다인이라는 추리소설가는 이보다 더 오만방자할 수 있느냐고 묻는 것처럼 소설을 쓰기 시작했다. 우리나라에서는 애거서 크리스티나 엘러리 퀸만큼 잘 알려진 작가는 아니지만, 미국의 뉴에이지 추리소설에서는 빼놓을 수 없는 인물이다. 이 사람의 추리소설에는 파이로 번즈라는 탐정이 등장한다. 소설이 시작할 때면 으레 이 파이로 번즈가 나와서는 중국 도자기가 어떻네, 그림이 어떻네 하는 장면이 나온다. 역사상 유례가 없을 정도로 예술 취미가 상당한 탐정이다.

파이로 번즈가 중국 도자기에 대해서 그렇게 잘 아는 까닭은 역시 작가인 반 다인이 미술에 대해 일가견이 있는 사람이었기 때문이다. 반 다인은 원래 신문사에서 문학과 미술 비평을 하던 사람이었다. 《로스앤젤레스 타임스》에도 근무한 적이 있었는데, 어느 날인가는 그만 두통이 심해서 조퇴를 해버렸다. 그런데 바로 그날 맥나마라단이라는 단체가 신문사 건물에서 다이너마이트를 폭파시켜 여럿이 죽거나 다쳤다. 말하자면 병이 되려 그를 살린 셈이었는데, 이 사람이 추리소설가가 된 첫번째 원인도 사실은 병이었다.

머릿속이 얼마나 깐깐하고 복잡한 사람이었던지 결국 신경쇠약에 걸려서 요양해야만 하는 일이 생겼다. 신경쇠약이니 예전에 읽던 심각한 책은 의사가 읽지 못하게 하는 통에 병상에 누워 가볍게 읽을 만한 추리소설을 읽기 시작해 근 2천 권을 독파했다. 그러고 나서 반 다인이 뭐라고 외쳤던가? 2천 권의 추리소설에는 도합 2천 명의 범인이 나온다, 라고 외쳤다고 생각한다면 그건 반 다인의 복잡한 머릿속을 상당히 무시하는 발언이고 그는 "현재 생존해 있는 사람으로서 나만큼 많은 추리소설을 읽고, 나만큼 기술적, 문예적, 그리고 진화적 입장에서 추리소설을 주의 깊게 연구한 사람은 없다"고 소리쳤다. 뭐, 그렇게까지 소리지를 필요가 있을까 싶지만, 2천 권에 달하는 추리소설을 다 읽은 뒤 병상에 누워 구상해 퇴원하자마자 쓰기 시작한 소설 3권이 모두 베스트셀러가 됐으며 추리소설의 고전으로 남았으니 그 정도 오만방자는 견디는 수밖에 없다.

　반 다인이야 자기 소설이 베스트셀러가 되리라는 확신에서 소설을 썼겠지만, 돌을 굴리는 시지푸스처럼 이것은 나만의 일이니 나중에야 어떻게 되든 상관없다는 식으로 글을 써나간 사람도 있다. 인도 영화 〈밴디트 퀸〉의 시나리오를 썼던 아룬다티 로이는 그 시나리오의 내용 때문에 법정까지 가는 곤란을 겪고 난 뒤에야 자기 마음대로 글을 쓰고 싶다고 생각했다. 그로부터 5년 동안 로이는 가정주부의 역할을 충실히 수행하면서 매일 지극히 짧은 문장을 이어나갔다. 썼다가 다시 고치는 문장이 아니라 적게 쓰더라도 매일 이어지는 문장이었다. 그리고 5년이 지나자 소설 한 권이 완성됐다. 그게 바로 로이를 국제적인 작가로 만든 『작은 것들의 신』이다. 로이는 이 소설 한 권으로 영국 최고의 문학상인 〈부커상〉을 수상하고 전세계 22개국에서 번역되는 큰 행운을 누렸지만, 인터뷰에서 자신만을 위해 쓴 소설이라는 신념을 굽히지 않았다.

좀더 현실적인 경우를 찾는다면 『해리 포터』 시리즈를 쓴 조앤 K. 롤링을 들 수 있다. 롤링이 이혼한 뒤 연금을 받는 것 외에는 돈을 구할 방법이 없어서 어린 딸을 옆에 뉘어놓고 식탁에서 『해리 포터』 시리즈를 쓰기 시작했다는 사실은 이제 유명한 일화다. 롤링의 선배 격이라면 판타지 소설의 창시자 J. R. R. 톨킨을 들 수 있다. 이 사람은 움베르토 에코가 유명한 기호학자였던 것처럼 유명한 언어학자였다. 그런 그가 엄청난 판타지의 세계인 『반지의 제왕』을 쓰게 된 것은 자신의 네 아이들 때문이었다.

얘기인즉슨 아이들에게 들려줄 만한 동화책을 찾다가 아예 자기가 동화를 만들어 읽어주는 단계까지 이른 것이다. 그러다가 그 이야기를 책으로 출판했는데, 엄청난 반응이 쏟아진 것이다. 그래서 출판사에서 속편을 원하자 '그렇다면 어디 한 번'이라는 심정으로 쓴 책이 그만 『반지의 제왕』이라는 어마어마한 상상력의 세계가 된 것이다. '그렇다면 어디 한 번'이 통하자면, 역시 30년이 넘는 연구에 박사학위 정도는 필요한 세상이다.

오만한 반 다인이나 똑똑한 에코와 톨킨을 제외하면, 누군가 어느 날 갑자기 소설을 쓰기로 결심하고 한쪽 구석에 앉아 글을 써내려가는 장면을 상상할 때 어떤 애잔함 같은 것을 떨칠 수가 없다. 누군가 그런 소설을 가리켜 '키친 테이블 노블'이라고 말했다. 식탁에 앉아서 쓰는 소설이라는 뜻인데, 전문적인 소설가가 아니라 일반인의 처지에서 쓴 소설이 크게 인정받았을 때 붙이는 이름인 듯하다.

키친 테이블 노블이라는 게 있다면, 세상의 모든 키친 테이블 노블은 애잔하기 그지없다. 어떤 경우에도 그 소설은 전적으로 자신을 위해 씌어지는 소설이기 때문이다. 스탠드를 밝히고 노트를 꺼내 뭔가를 한없이 긁적여 나간다고 해서 변하는 것은 아무것도 없다. 그런데도 어떤 사람들은 직장에서 돌아와 뭔가를 한없이 긁적이는 것이다. 그리고 이상한 일이지만 긁적이는 동안, 자기 자신이 치유받는다. 그들의 작품에 열광한 수많은 독자들에게는 미안한 일이지만, 키친 테이블 노블이 실제로 하는 일은 그 글을 쓰는 사람을 치유하는 일이다.

그건 그렇고, 그렇다면 나는 치유받았을까? 글쎄. 그 지루했던 봄과 여름을 별다른 고민이나 사건 없이 보낸 것만은 사실이다. 또한 그 소설이 나를 소설가로 만들어준 것도 사실이다. 소설가가 된 뒤, 마루야마 겐지에게는 어떤 변화가 있었을까? 회사에서 쓴 소설 『여름의 흐름』으로 〈아쿠타가와 상〉을 수상한 뒤, 문예춘추사를 찾아간 마루야마는 수상자가 두 명이란 사실을 알고는 실망했다. 수상자가 둘이면 상금도 절반으로 줄어들 것이라고 생각했기 때문이었다. 공동수상자의 옆얼굴을 바라보면서 그는 "나 같은 인간이 소설을 쓴다는 것은 애당초 잘못된 일이 아닌가"라고 생각했다. 하지만 다행히도 상금은 똑같이 나왔다. 마루야마는 그 상금으로 빚을 갚고 회사로 돌아가 늦게까지 야근했다. 그리고 집에 돌아와서는 한 작품쯤 더 써도 상관없지 않겠느냐고 생각했다.

지루한 봄과 여름을 견디려고 쓴 소설로 나 역시 큰 상금을 받게 됐다. 뭐, 첫 소설로 엄청난 인세를 벌어들인 톨킨, 롤링, 에코, 로이 등에 비할 바는 아니었지만, 주머니에는 1,800만원짜리 수표가 들어 있었다. 양재에서 안국동까지 지하철을 타고 가는 동안, 주머니 속의 수표가 여간 신경쓰이지 않았다. 모든 것이 새로운 경험이었다. 1,800만원짜리 수표를 주머니에 넣고 지하철을 타거나 길을 걸어간 적은 한 번도 없었기 때문이었다. 아마도, 그런 일은 앞으로도 없을 것 같다.

지하철 빈 좌석에 앉아 닳아빠진 신발을 보면서 우선 근사한 구두부터 하나 사야겠다고 생각했다. 아니야, 일단은 맥주집에 가서 생맥주를 한 잔 마시는 거야. 글쎄, 그것보다는 오래 전부터 봐온 레드 제플린 전집을 사는 게 어때? 이런저런 생각이 머릿속을 가득 메웠다. 그러다가 문득 고개를 들었는데, 눈앞이 캄캄해졌다. 맙소사, 그건 오직 나만을 위해 쓴 소설이란 말이야. 그런

데 이제는 누군가 돈을 내고 책을 구입하는 사람을 위해서 글을
써야만 하는 처지가 됐다니.

당나라 시인 사공서司空曙는 친구인 노진경盧秦卿과 헤어지면
서 다음과 같은 시를 썼다.

앞으로도 만날 기회 있음을 알지만,
이 밤에 헤어지기는 참으로 힘들다
옛 친구가 권하는 이 술잔이
뱃길을 막는 돌개바람만 못하랴
知有前期在 難分此夜中
無將故人酒 不及石尤風

사공서는 다시 노진경을 만났을까? 나는 두번 다시 키친 테이
블 노블 같은 것은 쓰지 못했다. 세상의 모든 키친 테이블 노블
이, 그리고 그런 소설을 쓰는 사람이 애잔한 까닭은 첫사랑을 닮
았기 때문이다. 흑인 가수 빌리 홀리데이는 〈Come Rain Or
Come Shine〉에서 "예전에 누구도 당신을 사랑하지 않은 것처럼
당신을 사랑할 테야"라고 노래하지만, 그게 어디 쉬운 일인가?
누구보다도 빌리 자신이 잘 알고 있으니 그토록 구슬프게 노래하
는 게 아니겠는가? 성공하든 성공하지 못하든, 세상의 모든 키친
테이블 노블이 애잔한 까닭은 그 때문이다.

Ten Days of Happiness

성실한 직장인이었던 시절의 일이다. 아침에 출근하느라 지하철을 탈 때면 나는 늘 경이로움을 느꼈다. 세상에는 얼마나 많은 일자리가 있기에 그처럼 많은 사람들이 매일 같은 시간에 출근할 수 있단 말인가! 가끔은 숙취로 아무 생각도 하지 않을 때도 있었지만, 한 3년 가까이 나는 그런 경이로움을 잃지 않았다. 그 3년 동안 나는 세상에는 이다지도 많은 직업이 있는데, 다른 일도 아니고 왜 하필이면 글을 써야만 하는가라는 문제로 고민했었다. 아마도 소설을 거의 쓰지 않았던 시절이었는데, 할 일이 많지 않아서 그런 고민을 할 시간이 있었던 모양이다.

내가 하고 싶은 일은 정말 많았다. 수학만이 최고의 언어라고 믿었던 시절에는 천문학자가 되고 싶었다. 나는 빅뱅이 일어난 뒤 몇 분 동안의 일들에 대해 공부하고 싶었다. 너도 모르고 나도 모를 일이 일어났겠지만, 어쩐지 그걸 공부하다보면 내가 왜 태어났는지 알 수 있을 것 같았다. 천문학자가 되고 싶은 이면에는 기타리스트가 되려는 욕망이 짝패처럼 숨어 있었다. 같은 얘기다. 그 시절, 나는 구질구질한 서사를 싫어했다. 숫자나 음표라면 외계인과도 대화를 나눌 수 있었다. 그러다가 대학에 입학할 무렵에는 그만 택시 운전사가 되고 싶었다. 내 적성에서 크게 벗어나는 얘기는 아니다. 나는 지도를 힐끔 들여다보는 것만으로도 그 즉시 내가 선 길의 속성을 파악해내는 천부적인 재능을 지니고 있었다. 다 내 적성에 맞는 일이었음에도 결국 나는 그 무엇도 되지 못하고 글쓰는 사람이 됐다. 이 지경에 이르고 나면 '왜 문학을 하는가?'라는 질문에 '그건 운명입니다'라는, 할인마트에서 떨이로 팔면 딱 좋을 대답을 할 수밖에 없다.

하지만 양자리인 나는 운명을 잘 믿지 않는 운명을 타고났다. 무려 3년 동안이나 '내가 왜 글을 써야만 하는가?'라는 질문을 던진 까닭은 그 때문이었다. 운명 때문에 글을 쓴다는 건, 내게 이집트에서 채찍을 맞아가며 노예로 일하는 유대인들을 떠올리게 한다. 왠지 운명 때문에 글을 쓰는 사람은 모세처럼 수염을 길게 기른 재벌 3세가 나타나 "너, 지금 뭐 하니? 노후대책은 세우고 사냐?"라고 말하며 함께 일하자고 들면 당장이라도 따라나설 것 같다. 적어도 나는 운명 때문에 글을 쓰고 싶지는 않았다. 그건 노예들에게나 어울리는 일처럼 보였다. 운명이 아니라면, 그럼 왜 글을 쓴다는 말인가? 그러고 나니 할말이 없었다. 진짜 할말이 없었다.

처음에는 대단히 유치한 대답부터 시작했다. 첫번째 돈을 벌기 위해서. 대학교 때, 지나가는 행인의 숫자를 헤아리는 아르바이트부터 시작해 그간 나는 돈을 벌기 위해서 수많은 일들을 해봤다. 제일 쉽게 돈을 벌 수 있었던 것은 불법 출판되는 일본만화를 윤문하는 일이었다. 한 권을 윤문하면 2만원을 받았는데, 걸리는 시간은 20분 정도면 충분했다. 문학은? 글을 쓰는 일은 금전으로 환산할 수 없을 정도로 고귀하거나, 혹은 노력의 대가를 가급적 인정하지 않으려는 사람들을 상대해야만 하는 일이었다. 그래서 이 대답은 틀렸다.

그 다음에는 명예를 위해서. 등단했다고 금배지를 달아주는 것도 아닌 바에야 문학인의 명예라는 건 불멸과 관련한 것이다. 내가 죽고 난 뒤에도 내 작품이 영원히 남아 사람들에게 읽히는 것. 그런데 이건 근본적으로 내 폐쇄적인 성격과 어울리지 않았다. 혼자서 할 수 있는 일이었기 때문에 처음 나는 글을 끍적이기 시작했다. 글쓰는 일이 영화감독처럼 다른 스테프와 함께 일해야만 하는 작업이었다면 나는 퍼즐왕이나 등대지기가 됐을 것이다.

지금은 하는 수 없다며 체념하는 처지가 됐지만, 근본적으로 나는 내가 죽은 뒤에도 누군가가 내 삶을 추적하고 짐작하는 일 따위를 감수하고 싶은 마음은 없다. 내가 죽고 나면 나라는 존재와 그를 둘러싼 모든 기억이 깨끗하게 사라져버리기를, 누구도 나를 기억하지 않기를 진심으로 원했다. 죽기 전에나, 죽은 뒤에

나 나는 주목받는 일에 익숙해질 인간형이 아니니까. 그렇기 때문에 명예를 위해서, 불멸을 위해서 글을 쓰고 싶지는 않았다. 아주 오랫동안 곰곰이 따져보면 돈이나 명예 같은 것은 글을 쓰다 보면 부수적으로 따라올 수 있지만, 그것을 위해 글을 쓸 수는 없다는 걸 알게 된다.

그렇다면 왜 쓰는가? 사회를 개선시키기 위해? 문학을 쇄신하기 위해? 인류를 사랑하기 위해? 아니다. 아니다. 아니다. 질문과 부정은 계속됐지만, 그 해답은 찾을 수 없었다. 그리고 1999년쯤이었다. 그 즈음 나는 내게 돈도 명예도 가져다주지 않을 것이며, 그렇다고 해서 사회나 문학을 쇄신하는 사상이 담기지도 않을 게 분명한 장편소설을 쓰고 있었다. 퇴근한 뒤, 11시부터 새벽 2시까지 매일 써내려갔다.

그렇게 한 달 정도 썼을 때쯤이었다. 컴퓨터를 바라보다가 고개를 들었더니 밤하늘이 보였다. 문득, 고독해졌다. '나는 지금 소설을 쓰고 있다.' 오직 그 문장에만 해당하는 일을 나는 하고 있었다. 그 소설이 어떤 평가를 받을지, 그 소설로 인해 내 삶에는 어떤 변화가 있을지, 그런 생각은 하나도 들지 않았다. 그저 '나는 지금 소설을 쓰고 있다' 그 문장뿐이었다. 그리고 그때까지 살아오면서 받았던 모든 상처는 치유됐다. 파스칼의 회심回心과 같은 대단한 일이 일어난 것은 아니었다. 다만 '나는 지금 소설을 쓰고 있다'라는 문장에 해당하는 행위가 어떤 것인지 단숨에 깨달으면서 파스칼의 지복과 비슷한 감정을 잠시 느꼈다는 말이다.

아무리 세월이 흘러도 그때 바라본 밤하늘을, 그때 느꼈던 따뜻한 고독을 잊지는 못할 것이다. 우리는 왜 살아가는가? 왜 누군가를 사랑하는가? 그건 우리가 살면서, 또 사랑하면서 결코 잊을 수 없는 일들을 경험했기 때문이다. 모세를 닮은 재벌 3세가 억만금을 준다고 해도, 내 이름을 새긴 기념비를 남산 꼭대기에 세워준다고 해도 나는 그 일들과 맞바꾸지 않을 것이다. 때로 너무나 행복하므로, 그 일들을 잊을 수 없으므로 우리는 살아가고 누군가를 사랑하는 것이다. 마찬가지 이유로, 나는 때로 너무나 행복하므로 문학을 한다. 그 정도면 인간은 충분히 살아가고 사랑하고 글을 쓸 수 있다.

나는 대체로 다른 사람들에게는 큰 관심이 없다. 내가 꼭 하지 않더라도 다른 사람들이 충분히 할 수 있는 일에도 흥미가 없다. 내가 해야만 하는 일들만이 내 마음을 잡아끈다. 조금만 지루하거나 힘들어도 '왜 내가 이 일을 해야만 하는가?'는 의문이 솟구치는 일 따위에는 애당초 몰두하고 싶은 생각이 없었다. 완전히 소진되고 나서도 조금 더 소진될 수 있는 일을 하고 싶었다. 내가 누구인지 증명해주는 일, 나를 행복하게 만드는 일, 견디면서 동시에 누릴 수 있는 일, 그런 일을 하고 싶었다.

청나라 사람 장조張潮는 이런 글을 남겼다.

꽃에 나비가 없을 수 없고, 산에 샘이 없어서는 안된다. 돌에는
이끼가 있어야 제격이고, 물에는 물풀이 없을 수 없다. 교목엔 덩
굴이 없어서는 안되고, 사람은 벽이 없어서는 안된다.

花不可以無蝶. 山不可以無泉. 石不可以無苔. 水不可以無藻.
喬木不可以無藤蘿. 人不可以無癖.

'벽'이란 병이 될 정도로 어떤 대상에 빠져 사는 것. 그게 사람
이 마땅히 할 일이라면 내가 문학을 하는 이유는 역시 사람답게
살기 위해서다. 그러므로 글을 쓸 때, 나는 가장 잘산다. 힘들고
어렵고 지칠수록 마음은 점점 더 행복해진다. 새로운 소설을 시
작할 때마다 '이번에는 과연 내가 어디까지 견딜 수 있을까?' 궁
금해진다. 나는 세상을 살아가기에는 여러 모로 문제가 많은 인
간이다. 힘든 일을 견디지 못하고 싫은 마음을 얼굴에 표시내는
종류의 인간이다. 하지만 글을 쓸 때, 나는 한없이 견딜 수 있다.
매번 더이상 할 수 없다고 두 손을 들 때까지 글을 쓰고 난 뒤에
도 한 번 더 고쳐본다. 나는 왜 문학을 하는가? 그때 내 존재는 가
장 빛이 나기 때문이다.

영혼을 팔아치울 정도로 괴로운 일이었다면, 그래서 견디지 못
하고 그 괴로움을 다른 사람들에게 전가할 지경이었다면, 나는
문학을 하지 않았을 것이다. 나를 완전히 던지는 일을 통해 행복
을 얻을 수 있는 다른 일을 찾아나섰을 것이다. 나는 운명도, 운

도 믿지 않는다. 믿는 것은 오직 내 몸과 마음의 상태일 뿐이다. 인간이란 할 수 없는 일은 할 수 없고 할 수 있는 일은 할 수 있는 존재다. 나는 완전히 소진될 때까지 글을 쓸 수 있다. 이건 내가 할 수 있는 일이다. 1968년 프랑스에서 학생운동이 극에 달했던 시절, 바리케이드 안쪽에 씌어진 여러 낙서 중에 'Ten Days of Happiness'라는 글귀가 있었다고 한다. 열흘 동안의 행복. 그 정도면 충분하다. 문학을 하는 이유로도, 살아가거나 사랑하는 이유로도.

추운 국경에는 떨어지는
매화를 볼 인연 없는데

2001년 겨울도 끝나갈 무렵, 《시사저널》에 다니던 시인 이문재 선배에게서 전화가 왔다. 분단 사상 처음으로 금강산에서 마라톤대회가 열리는데, 그 대회에 참가한 뒤 기사를 써줄 수 있겠느냐는 얘기였다. 뛰어야 할 거리는 26킬로미터. 나는 좀 머뭇거릴 수밖에 없었다. 1·4후퇴 때 미군 LST를 타고 단신 월남한 이후로 한 번도 가보지 않은 고향 땅이었기 때문이었다. 라면 순 뻥이고 그때까지만 해도 하프마라톤만 뛰었기 때문에 26킬로미터를 달릴 수 있을 것인지 장담할 수 없었기 때문이었다. 서울이라면 뛰다가 힘들 경우 결승점까지 택시를 타고 갈 수도 있겠지만, 금강산 부근에는 택시 같은 게 있을 것 같지 않았다.

내가 머뭇거리자, 이문재 선배는 쐐기를 박듯이 덧붙였다. 모든 경비는 《시사저널》에서 부담하겠노라고. 나는 마라톤대회에 참가하면 공짜라는 이유만으로 매 2.5킬로미터마다 멈춰서 이온음료와 초코파이와 바나나를 먹어대느라 기록이 상당히 저조한 사람이었다. 그러므로 이문재 선배의 그 말 한마디면 충분했다. "뛸게요." 하지만 2001년 그 겨울에 눈이 얼마나 많이 내렸는지 모른다. 겨울 내내 길이 빙판이었기 때문에 마땅히 달리기를 연습할 곳이 없었다. 그때만 해도 회사에 다녔기 때문에 헬스클럽에서 트레드밀을 밟을 만한 처지도 아니었다. 대회 날짜는 다가오고 연습을 하지 않을 수는 없어 궁여지책으로 생각해낸 게 아파트 지하주차장이었다. 아침 6시면 일어나 지하주차장을 40바퀴씩 돌았다. 차를 몰고 나가는 사람들이 고속도로를 가로질러 건너가는 똥개라도 만난 듯 헤드라이트를 깜빡거리기 일쑤였지만, 그 사람들을 일일이 붙잡고 "아, 글쎄, 금강산에 가는데《시사저널》에서 경비를 다 지불한다고 해서……" 이런 설명을 하기도 곤란했다.

연습이 부족해 적잖이 걱정됐지만, 내게는 빠져나갈 구멍은 있었다. 나름대로 알아보니 주최측은 대회가 장전항에서 삼일포까지 갔다가 다시 온정각으로 돌아오는 코스에서 열리니 그간 버스로만 이동하던 지역을 도보로 이동할 수 있는 장점이 있다고 설명했다. 도보로! 그렇다. 주마간산이라는 말도 있지 않은가. 난생처음으로 보는 금강산일 텐데, 허둥지둥 달리면서 보는 것보다는 천천히 걸으면서 보는 게 더 옳을 수도 있는 것이다. 이런 생각을 하며 2월 말 속초에서 출발하는 설봉호에 올라탔다.

그리고 그날 저녁에 금강산에서는 과연 무슨 일이 벌어졌던가!

몇십 년 만에 1미터가 넘는 폭설이 쏟아졌다. 하늘에서 하얀 뭔가가 내린다고 해서 그걸 눈이라고만 부른다면 그건 대단히 빈약한 은유에 불과할 것이다. 그건 눈이 아니라 몇 겹이 될지도 모를 정도로 두터운 하얀 장막이라고 할 수 있었다. 어찌되었건 적당한 단어를 찾을 수 없었기에 그건 눈이라고도, 안개라고도, 심지어는 망각이라고도 부를 수 있었다. 오래 전에 잊어버렸던 기억 속으로 들어가듯이 동복을 입은 인민군들이 지키고 선 가운데 출입국장으로 들어서는데, 이건 흡사 시베리아로 유형을 떠나는 죄수들 같았다.

해금강호텔에서 나와 방을 함께 쓴 사람은 서울에서 시계방을 하는 50대 남자였는데, 그 사람도 어디선가 돈을 받아서 온 것인지 혼자서 대회에 참가했다. 저녁을 먹고 올라가니 속초항에서 소주 팩을 열 개나 사온 그 남자는 내게도 함께 마시자고 채근이었다. 방에 들어서자마자 옷을 홀홀 벗어던진 채 팬티와 러닝셔츠만 입고 있는 것도 웃겼지만, 다음날 대회가 열리는데 소주를 마시는 것도 대단해보였다. 그는 호텔에 있는 큰 잔에다가 소주를 쏟아붓고는 내게 연신 '여자 먹은 얘기'를 해보라고 다그쳤다. 나는 여자라는 게 먹을 수 있는 종류의 생물이라고는 한 번도 생각해본 적이 없었기 때문에 들려줄 얘기가 없었다. 나를 측은한 눈으로 바라보던 그 남자는 한심하다는 듯이, 정말 한심해서 환장하겠다는 듯이 '술집 마담 따먹은 얘기'를 내게 들려줬다.

그 사람의 얘기를 듣고 있노라니 정신이 번쩍 들었다. 내일 대회가 있는데, 이렇게 몸 관리를 하지 않고 술을 마시면 곤란한 게 아닌가, 하고 생각했다면 그 한심한 표정을 충분히 감당할 만한 거짓말이고, 인민군들이 동초를 서는 강원도 고성군 장전항 해금 강호텔에 감금돼 진로를 마시며 50대 남자의 서울 술집 마담 따 먹은 얘기를 듣고 있다고 생각하니 그럴 수밖에 없었다. 이제 내가 서울의 술집에서 술 마시는 일은 영영 사라지게 된 게 아니냐는 느낌이 들면서 어쩐지 서글퍼졌다. 월북했다가 영영 돌아오지 못한 서울 문인들, 예컨대 안회남이라든가 박태원 같은 사람도 언젠가 나와 비슷한 느낌을 가졌을지도 몰랐다.

아침에 깨어보니 눈은 여전했다. 도로공사를 하듯이 불도저들이 동원돼 쌓인 눈을 밀어내고 있었다. 인간의 보편적인 상식에 근거해서 판단한다면 대회가 취소되는 게 마땅한 일이었다. 어차피 금강산까지 왔으니 과연 상식이 통해 마라톤대회가 취소된다면 나로서는 꿩 먹고 알 먹는 일이라고 내심 좋아하고 있던 참이었는데, 아침에 만난 이문재 선배는 어디선가 비옷을 구해오더니 대회는 예정대로 진행된다고 말했다. 그게 '분단 사상 처음으로 북한 지역에서 열리는 남측의 마라톤 대회'라는 긴 이름을 지닌 대회라는 걸 잊어버렸던 것이다. 아아, 두번째 대회만 됐어도 상식이 통했을 텐데. 출발선에 세워둔 설치물도 눈보라에 넘어질 판인데, 김구 선생도 아니고 기어이 눈길을 밟으러 가야만 하는

가라는 생각도 채 하기 전에 출발신호가 떨어졌다. 비옷을 입고 눈발을 헤치며 26킬로미터를 달려본 적이 있는가? 물론 없겠지. 그런 기회가 온다고 해도 웬만하면 비옷은 입지 말기를. 꼴이 상당히 우습기 때문이다. 내가 할 수 있는 충고라고는 이것뿐이다.

장전항에서 온정각에 이르는 길 양옆으로는 철책이 설치됐지만, 그 중간에서 삼일포 쪽으로 놓인 길에는 철책도 없었고 지키고 선 인민군도 없었다. 실력에 따라, 혹은 복장 상태에 따라(나는 양말을 신고 그 위에 다시 비닐봉지를 씌운 뒤에 운동화를 신고 있었다. 발은 아주 자유자재로 미끄러지고 있었다) 사람들이 길게 늘어졌기 때문에 주위로 아무도 없는 그 하얀 길을 혼자서 달렸다. 조금 달려가다 보니 학교와 마을이 나왔다. 길 한쪽에 상점 같은 집이 있었는데, 그 집 담벼락에는 '간첩을 때려잡자' 뭐 그런 식의 표어가 페인트로 씌어 있었다. 왠지 고향 마을을 달려가던 어린 시절의 일들이 떠올랐다.

그날은 토요일이었는데, 삼일포 초입에 있는 반환점을 돌아서 다시 달려오니 그 학교의 수업이 모두 끝나 아이들이 하교하고 있었다. 나는 아이들을 볼 때마다 손을 흔들며 인사했다. 어릴 때의 나처럼 다들 소심한 성격인지, 아니면 종례시간에 선생님에게 남한 사람들이 마라톤을 하는데 가까이 가서는 안된다는 말을 들은 것인지 아이들은 나란 존재가 보이지 않는 듯이 행동했다. 내가 멀리 있으면 자기들끼리 장난도 치고 얘기도 했지만, 가까워져 '안녕!' 이라고 소리치면 다들 입을 다물었다. '분단 사상 처음으로 북한 지역에서 열리는 남측의 마라톤 대회'라는 기나긴 이름의 대회가 그 침묵 때문에 한결 더 길어진 느낌이었다.

그러다가 한 무리의 여자아이들을 만났는데 내가 거의 기계적으로 손을 흔들자, 그 중 한 아이가 참지 못하고 피식 웃음을 터뜨렸다. 비닐봉지가 삐져나온 운동화에 검정색 타이츠, 그것도 모자라 비옷에 현대 금강산 기념 모자까지 나는 걸치고 있었던 것이다. 남북교류 증진을 위한 퍼포먼스를 하자는 것은 아니었지만, 어쩐지 그런 실험예술적인 느낌이 곡마단 분위기에 덧씌워져 뭉게뭉게 펼쳐지고 있었던 것이다. 그 웃음이 신호인 양 아이들도 나를 향해 손을 흔들었다.

나는 그 아이들과 많은 얘기를 나누고 싶었다. 꿈은 무엇인지, 공부는 잘되는지, 일요일에는 뭘 하면서 놀 계획인지. 그 아이들도 내게 묻고 싶은 게 있었을 것이다. 눈에 대해 그다지도 흥취가 있다는 것인지, 흥취가 있어 마라톤까지 할 정도라면 도대체 비옷은 왜 입고 있는 것인지, 비옷까지 입었으면서도 왜 그렇게 다 죽어가는 꼴이 됐는지. 하지만 우린 그저 철책을 사이에 두고 웃을 뿐이었다. 눈보라가 쏟아져 금강산의 '금'자도 보지 못했지만, 나는 그 아이들의 웃음을 봤다.

도착지점인 온정각이 가까워질 무렵에는 관절이 아파 제대로 걷지도 못할 지경에 이르렀다. 눈은 젤리 상태가 됐고 비닐이 벗겨진 양말은 축축하게 젖은 상태로 얼어가고 있었다. 나는 온정각 쪽의 길을 몰라 하마터면 인민군의 막사로 돌격할 뻔했는데, 다행히 화들짝 놀란 보초병들의 제지로 그 일을 피할 수 있었다. 가까스로, 간신히, 겨우 등의 부사에 해당하는 자세로 어쨌든 결승점에 들어가고 난 뒤에야 나는 끼고 갔던 장갑 한 짝을 삼일포 가는 길 어딘가에 흘렸다는 사실을 알아차렸다. 아내가 독일에서 사온 털장갑이었다. 눈송이가 떨어지는 온정리 야외 온천에 누워 나는 독일에서 남한을 거쳐 북한 어딘가에 떨어진 그 빨간 털장갑의 기이한 운명을 한동안 생각했다.

저녁에 다시 해금강호텔로 갔더니 그 사내는 보이지 않았다. 아무렴 '여자 먹은 얘기' 하나 지어내지 못하는 소설가 따위와는 소주를 마시기 곤란했던 모양이었다. 나는 1층 커피숍에서 5달러짜리 맥심커피를 마시며《시사저널》에 기고할 글을 썼다. 커피숍에는 나와 필리핀 여종업원 둘뿐이었다. 도대체 해금강까지 와서 5달러짜리 맥심커피를 마셔야만 하는 인간이란 소설가뿐인 것이다. 가끔 고개를 들어 창밖을 바라보면 짙은 눈보라만 눈에 들어왔다. 그 눈보라를 바라보며 나는 석교연釋皎然의「새하곡塞下曲」을 떠올렸다.

추운 국경에는 떨어지는 매화를 볼 인연 없는데
변방 사람 피리 불어 지는 매화를 노래하네

노로정에는 응당 봄이 지났을 텐데
밤마다 성 남쪽에는 전쟁, 돌아갈 길 없으라
寒塞無因見落梅 邊人吹入笛聲來
勞勞亭上春應度 夜夜城南戰未廻

2001년 겨울도 끝나갈 무렵, 나는 삼일포 부근 어딘가에 장갑 한 짝을 남겨두고 왔다. 가끔 그 빨간 털장갑이 어떻게 됐을지 궁금할 때가 있다. 내게 손을 흔들던 그 여자아이들도, 서울에 두고 온 여자들을 그리워하던 그 50대도, 변경의 밤을 빽빽하게 메우던 눈보라도.

아는가, 무엇을 보지 못하는지

　그럴 줄은 짐작하고 있었지만, 정말이지 대학을 졸업하고도 그렇게 할 일이 없을 줄은 몰랐다. 대기업에 응시한다고 해도 뽑아 줄 리 만무했건만, 그런 꿈은커녕 취직도 생각해보지 못했던 위인이었던지라 조금 난감하긴 했다. 남들 다 하듯이 도서관에 반납 기한이 넘은 책을 돌려주고 어머니 머리에 학사모 씌워주고 학교 앞 식당에서 가족들과 고기 먹고 나니 모든 게 끝이었다. 나는 이제 말로만 듣던 사회인이 된 것이다. 사회인. 이 말은 이제 내가 다른 사람들과 함께 어울려야만 살아갈 수 있다는 사실을 뜻했다. 1995년 여름의 일이었다. 그러나 여전히 나는 사람들과 어울리는 방법을 알지 못했다.

　그렇게 한 반년을 책이나 읽으며 빈둥거리며 놀았을까? 어느 날, 삼청동 감사원 앞 언덕길을 넘어 가회동 쪽으로 내려오다가 옛집 담 너머로 봄꽃들이 피어오르는 모습을 보고 있노라니 눈물이 날 것만 같았다. 봄꽃은 제 몸을 밝혀 내게 저처럼 환한 빛을 던져주는데, 나는 세상 그 어느 곳에도 어울리지 않는 사람이 된 것이다. 미국의 흑인작가 랄프 엘리슨이 쓴 『투명인간』에 보면, 주위의 누구도 관심을 가지지 않아 자신을 투명인간으로 여기는 주인공이 등장하는데, 내가 바로 그 꼴이었다.

그 즈음 어느 날의 일일 것이다. 뒷산에 올라갔다가 가느다란 줄기에 보랏빛 꽃을 내건 제비꽃을 보게 됐다. 무슨 마음에서인지 그 꽃을 키워보고 싶었다. 그래서 그 길로 화원에 가서 모종삽과 고동색 작은 화분을 사서는 소풍 가는 아이처럼 챙 두른 모자 하나 쓰고 제비꽃이 있는 뒷동산으로 올라갔다. 오후의 해가 뉘엿뉘엿 떨어지는 동안, 나는 모종삽으로 제비꽃 뿌리를 들어냈다.

'바위처럼 살아가보자. 모진 비바람이 몰아친대도. 어떤 유혹의 손길에도 흔들림 없는 바위처럼 살자꾸나' 뭐 이런 노래가 입에서 흘러나왔다. 그 노래 가사가 어찌나 힘을 주던지. 제비꽃 따라 우울하던 내 마음도 어디 예쁜 화분으로 옮겨간 것 같았다. 왠지 좋은 일이 일어날 것만 같았다. 비스듬하게 굽은 제비꽃 줄기를 바라보는 동안, 해는 저물었다. 아차차, 새로 산 모종삽을 제비꽃이 있던 자리 근처에 꽂아두고 왔다는 것도 그제야 깨달았지만, 걱정할 만한 일은 아니었다.

그 다음날 오후였던가, 제비꽃 줄기는 점점 기울어지기 시작하더니 결국 완전히 쓰러지고 말았다. 제비꽃이 완전히 죽어가는 동안, 대학까지 졸업한 내가 아직 모르는 게 너무 많다는 생각이 머릿속을 떠나지 않았다. 그 어떤 힘이 제비꽃의 가느다란 줄기를 꼿꼿하게 세우는 것일까? 어떤 힘이 있어 나는 살아가고 있는 것일까? 나는 지금 어디에 있는 것일까? 그날 밤, 내 머릿속에는 뒷산에 꽂아두고 온 모종삽이 떠올랐다. 어둠 속에서 비스듬하게 땅에 꽂혀 있을 모종삽. 그 모종삽처럼 살아오는 동안, 내가 어딘가에 비스듬하게 꽂아두고 온 것들. 원래 나를 살아가게 만들었던 것들. 그런 것들.

할 일이 많지 않았으므로 나는 하루종일 뒹굴뒹굴 책이나 읽으면서 보내는 일이 많았다. 손에 잡히는 대로 책을 읽었다. 책을 읽다보면 하루가 저물었다. 아무리 책을 천천히 읽어도 언제나 시간이 남았다. 그렇게 느릿느릿 책을 읽었는데도, 그렇게 많은 책을 읽었는데도 창 밖을 보면 아직 해가 저물지 않았으니 그게 너무나 신기했다. 그 당시에도 신기했고 지금도 신기하기만 하다. 흐르지 않는다면 세월이야 흐르지 않아도 좋다는 생각으로 하루종일 시간을 두고 책을 읽기만 했었다.

그 시를 읽은 것도 그 즈음의 일이다. 책을 펼치고 읽다가 가슴 한쪽이 쿵 하고 내려앉는 듯한 느낌이 들었다. 간담이 서늘하다는 표현은 바로 그런 경우에 쓰는 것이리라.

그대는 보지 못하는가

황하의 물이 하늘에서 내려와서

흘러서 바다로 가서는 다시 돌아오지 못하는 것을

그대는 보지 못하는가

높다란 마루에서 거울을 보고 백발을 슬퍼하는 것을

아침에 푸른 실 같던 머리가 저녁에 눈처럼 된 것을

君不見 黃河之水天上來 奔流到海不復回

君不見 高堂明鏡悲白髮 朝如靑絲暮成雪

고등학교 다닐 때, 참고서 『한샘국어』에도 나왔던 이백의 너무나 유명한 시 「장진주將進酒」였다. 하지만 이상하기도 하지, 고등학생 시절에는 이 시를 읽으면서 한 번도 그런 서늘한 느낌을 받은 적은 없었다. 얼마나 서늘했냐 하면 정신이 번쩍 드는 것과 동시에 눈앞이 캄캄해지는 상태에 도달할 정도였다. 아니, 다시 말하자면 눈앞이 캄캄하다는 사실을 그제야 바로 보게 된 것이다. '君不見' 이 세 글자에 나는 그만 눈이 트이고 말았다.

강원도 삼척은 내 기억엔 너무나 큰 고장으로 남아 있다. 아무리 자전거 페달을 밟아도, 아무리 벗어나려고 해도 삼척이었다. 동해역에서 소화물로 부친 자전거를 찾아 달리기를 한나절, 그때까지도 나는 삼척을 벗어나지 못했다. 아무래도 그날 안에 삼척을 벗어나기는 틀렸다는 생각이 들었다. 그러니까 1996년 여름,

나는 '대관령 동쪽 지방'이라는 뜻의 관동 지역을 자전거로 여행하고 있었다.

하루를 꼬박 달려 나는 곳곳에 올림픽 상징물을 세워놓거나 그려놓은 황영조 마을이라는 곳에 이르렀다. 황영조 마을은 손바닥만큼이나 작은 해변을 가진 작은 마을이었다. 워낙 사람들이 찾을 만한 해변은 아니었건만 황영조가 자란 동리라 7번 국도를 지나다 보면 고개를 돌리지 않을 수 없다. 나야 그곳에 황영조 마을이 있으리라고 생각하고 찾아간 길이 아니었다. 그저 자전거 페달을 굴려 해가 질 무렵까지 간 곳이 바로 그곳이었다. 자전거를 세워두고 손바닥만한 해변에 그저 나 하나 누울 수 있을 만한 텐트를 설치했다. 밥을 지어먹고 해변에 놀러 온 사람들이 만들어내는 소리를 들으며 잠이 들었다. 원래 나는 늦게까지 잠자지 못하는 사람이었지만, 그때만은 잠이 쏟아져내렸다. 자전거 여행이 주는 가장 좋은 선물이었다. 그러다가 파도소리에 잠을 깼다. 몇몇 목소리가 들려왔지만, 주위는 조용하기만 했다. 지퍼를 열고 텐트 밖으로 나갔더니 서늘한 기운이 나를 감쌌다. 두 팔로 내 몸을 감싸며 멀리서 내게 다가왔다가 사라지는 파도를 바라봤다. 뭔가 이상한 느낌이 들었다. 나는 왜 그곳까지 가야만 했던 것일까? 나는 무엇을 보고 또 무엇을 보지 못한 것일까?

내가 7번 국도를 여행하겠다고 마음먹은 것은 우연히 지도를 보다가 7번 국도가 동해안을 따라 이어진 길이라는 사실을 알게 되면서부터다. 내게는 차가 없었으므로 자전거로 여행하겠다고 생각했다. 강원도 쪽 7번 국도는 좁은 왕복 2차선 도로라 자전거로 여행하자면 상당히 위험하다는 사실도 몰랐다. 당장 컴퓨터 통신에 접속해 중고 자전거를 내놓은 학생을 찾아냈고 그가 살던 면목동까지 가서 자전거를 구입한 뒤, 청량리역에서 동해역으로 부쳐버렸다. 왜 그렇게 서둘렀을까? 아마도 이제 하지 못하면 다시는 7번 국도를 자전거로 여행하는 일은 없을 거라는 생각 때문이었을 것이다. 그리고 내 귓전을 울리는 '君不見' 그 세 글자. 나도 보고 싶다는 생각이 들었다. 정말 보고 싶다는 생각이 들었다.

그리하여 나는 무엇을 봤을까? 황영조 마을까지 가는 동안, 나는 바닷바람에 온몸으로 맞서는 송림과 던져진 호스처럼 늘어진 7번 국도와 산을 넘어 어딘가에 있을 마을을 향해 치달리고 있는 송전탑의 행렬과 혼을 쏙 빼놓으면서 지나가는 화물차의 배기구에서 잔영처럼 뿜어져나오는 검은 연기와 나무마다 늘어진 오후의 햇살을 봤다. 그리고 또 무엇을 봤을까? 그날 저녁 나는 동해의 하늘 높이 떠오른 뭇별들을 봤다. 뿌려진 보석처럼 검은 하늘에 정말 수없이 많은 별들이 박혀 있었다.

'君不見'으로 시작한 이백의 「장진주」는 다음과 같은 구절로 이어진다.

하늘이 나 같은 재질을 냈다면 반드시 쓸 곳이 있으리라
천냥 돈은 다 써버려도 다시 생기는 것을
양을 삶고 소를 잡아서 우선 즐기자
한꺼번에 삼 백 잔은 마셔야 된다
天生我材必有用 千金散盡還復來
烹羊宰牛且爲樂 會須一飮三百盃

'天生我材必有用' 제비꽃을 바라보며 한없이 빈둥거리던 그해 봄여름, 나는 이 구절을 입에 달고 지냈다. 기분이 좋아지면, '會須一飮三百盃'라고 말하면서 나보다 할 일 많은 친구들에게 술을 따르며 강권했다. 내게 천냥 돈은 없었지만, 내게는 반드시 쓸, 하늘이 내린 재주만은 있다고 생각했다. 하지만 황영조 마을 앞 해변에서 하늘에 박힌 별들을 바라보던 그날 저녁, 나는 내가 오만으로 똘똘 뭉친, 그러나 결국은 아무것도 하지 못하고 있는 젊은이에 불과하다는 사실을 깨닫게 됐다. 나는 하늘이 낸 사람도 아니고, 한꺼번에 3백 잔을 들이켤 수 있는 사람도 아니다. 더없이 아픈 일이지만, 나는 그 누구도 아닌 내가 먼저 나 자신을 받아들여야만 한다는 사실을 인정했다.

내가 황영조 마을까지 가서 본 것은 결국 내가 그 무엇도 아니라는 사실이었다. 나는 이백 같은 시인도 될 수 있고 황영조 같은 운동선수도 될 수 있지만, 어쨌든 그 당시에는 그 무엇도 아니었

다. '君不見'이라는 그 세 마디는 결국 내가 아무것도 아니라는 사실이 보이지 않느냐는 말이었다. 아이처럼 두 주먹 불끈 쥐고 끝까지 인정하고 싶지 않은 얘기였지만, 결국 인정하지 않을 수 없었다.

'君不見' 세 마디로 시작한 「장진주」는 '만고수萬古愁' 세 마디로 끝난다. 한꺼번에 3백 잔의 술을 마시고 이백이 잊고자 한 '만고의 시름'은 누구도 하늘이 낸 자신의 재주를 알아주지 않는다는 점이었다. '君不見' '君不見' 아무리 소리쳐도 그 사실은 변하지 않는다. 한꺼번에 3백 잔을 들이켤 재주가 없어 동해안까지 가야만 했지만, 그곳에서 내가 결국 깨달을 수밖에 없었던 일은 바로 그 일이 아닐까 한다.

시간은 흘러가고 슬픔은 지속된다

시간이란 무엇일까? 그건 한순간의 일이 오랫동안 기억되는 과정이다. 어느 날, 화곡동 시장 골목을 지나가다 보니 언젠가 그곳에서 마셨던 소주와 갖은 안주들이 기억났다. 언제쯤이었을까? 봄이었던가? 가을이었던가? 나는 화곡동 시장 골목에 있는 좌판에서 사촌형과 술을 마시고 있었다. 나와는 겨우 여섯 살밖에 차이 나지 않는 조카가 그 근처 육군병원에 입원해 있어 문병 갔다가 사촌형과 함께 밖으로 나왔던 참이었다.

나보다 키가 한 뼘은 크고 몸집도 상당하던 조카는 입대하자마자 훈련소에서 이송돼 왔다. 늑막염이라고 했다. 침대에 누워서는 '이제 평생 술은 마시지 못하겠다'며 아쉬워하던 모습이 기억난다. '술이나 뭐나 어서 몸이나 챙겨'고 내가 말했다. 몸만 나아지면 조카는 의병 제대한다고 했다. 누구보다도 건강했던 조카가 그럴 줄은 전혀 알지 못했다.

그리고 한 번 더 찾아갔던 것 같다. 그 애와 나는 헤비메탈 음악에 대해 얘기했었다. 내가 어떤 그룹이 그 즈음 내한 공연을 한다고 말했던 것 같다. 조카는 그 그룹을 알지 못했다. 병원에서 나가면, 꼭 공연을 보여달라고 말했고 나는 그러겠노라고 대답했다.

그러던 어느 결엔가 그 애가 '나는 삼촌이 참 좋아'라고 말했다. 어릴 적부터 나와는 친구처럼 지냈던 애였으나 성정性情이 문약한 나와 달라 늘 내게 대들던 애였다. 내 생각에 그 애와 나는 친척이라는 사실을 제하면 그다지 공통점이 없었다. 어느 틈에 커버린 그 애를 나는 통제할 수 없었다. 그런데 갑자기 한 번도 듣지 못한, 그런 소리를 들은 것이다. 내가 좀더 예민한 사람이었으면 그 말이 무슨 뜻인지 알았을 것이다. 하지만 불행히도 나는 예민하지 못했다.

조카의 말이 무슨 뜻인지도 알아차리지 못할 정도로 둔감한 내가 그만 일본의 짧은 시 하이쿠에 푹 빠져버리게 된 계기는 현대 하이쿠 시인인 이시바시 히데노石橋秀野의 다음과 같은 시를 읽었기 때문이다.

매미소리 쏴—
아이는 구급차를
못 쫓아왔네.

하이쿠는 5·7·5의 음수율을 가진 정형시다. 그러므로 위의 시 역시 '세미시구레 / 코와단소우샤니 / 오히츠케즈'라고 읽어야만 한다. 의미로 읽자면, '매미소리 쏴―'하고 읊은 뒤, 잠시 끊어야만 한다. 일본 하이쿠에 대해 조금이라도 아는 사람이라면 이 첫 구절만 듣고도 이 시의 배경은 여름이거니 하고 생각하게 될 것이다. 계절어인 매미가 들어갔기 때문이다. 그러면서 동시에 죽음의 기운을 느낄 것이다. 왜냐하면 일본 하이쿠의 명인인 마츠오 바쇼가 다음과 같은 두 편의 시를 남겨놓았으니까.

'우듬지에서 / 허무하게 지누나 / 매미의 허물 梢よりあだに落ちけり蟬のから' 그리고 '곧 죽을 듯한 / 기색은 안 보이네 / 매미소리야 やがて死ぬけしきは見えず蟬の聲'. 이들 시에서 매미소리는 곧 찾아올 죽음의 적막을 역설적으로 표현하는 떠들썩함이다. '매미소리蟬の聲'는 바쇼의 유명한 시에 연거푸 등장하는 구절이다.

예컨대 '한적함이여 / 바위에 스며드는 / 매미소리야 閑さや岩にしみ入る蟬の聲'라는 하이쿠에 등장하는 매미소리를 올더스 헉슬리는 "바위 사이의 공간을 메우고 있는 정적만큼 절대적인 정적, '음악적인 공동空洞의 허무'라고도 할 수 있는 정적을 표현하려하고 있는 것"이라고 말한 바 있다. 삶의 여백이자 죽음의 적막을 언어로는 도저히 표현할 수 없어 귀를 때리는 한여름 매미소리를

역설적으로 사용하는 것이다. 매미소리가 천지를 울리다가 문득 멈춘 상태. 그 찰나적인 상태가 바로 견딜 수 없는 삶의 여백이자, 죽음의 적막이니까.

그러므로 이시바시 히데노가 '매미소리 쏴ㅡ'(원문대로 의역하면 '소나기처럼 갑자기 일제히 들리는 매미소리' 정도로 풀어지겠다)라고 할 때, 듣는 사람들은 긴장할 수밖에 없다. '매미소리 쏴ㅡ'의 귓전을 울리는 이 매미소리는 적막을 표현하기 위한 장치니까. 두려운 일이 곧 찾아올 테니까. 그 일은 바로 '아이는 구급차를'을 거쳐 '못 쫓아왔네'라는 문장에 이르면서 우리의 긴장을 급격하게 해체시킨다. 그 해체의 끝에는 몇 방울 눈물도 맺히겠다.

그 며칠 뒤, 아직 잠에서 깨어나지도 못했는데 사촌형에게서 전화가 걸려왔다. 조카가 죽었다는 얘기였다. 믿기지 않는 일이었다. 나보다 훨씬 더 건강했던 아이였는데……. 육군병원 뒤쪽 영안실 마당으로는 비스듬한 아침 햇살이 군데군데 꽂혀 있었다. 더없이 적막한 곳이었다. 아직 이른 아침이라 둘이서만 빈소를 지키던 사촌형 부부는 내가 들어가자 나를 부둥켜안고 갑자기 울음을 터뜨렸다. 그때는 그런 생각을 할 겨를도 없었지만, 지금 생각하면 일제히 들리는 매미소리보다 훨씬 더 큰 울음소리였다. 매미가 왜 그렇게 크게 소리내 우는 것인지 지금 생각하면 이해할 듯도 하다.

　여류시인 이시바시 히데노가 폐병을 앓다가 죽은 것은 그녀의 나이 서른여덟 살의 일이다. 그녀에게는 여섯 살짜리 딸이 하나 있었다. 어느 여름이겠다. 그녀의 병이 깊어져 구급차가 집으로 달려와 그녀는 병원으로 운송되고 있었다. 구급차로 옮겨지는 동안, 매미가 어찌나 큰소리로 울던지……. 그 와중에 딸아이는 제 엄마가 구급차에 실려가는 게 무서워 울면서 엄마를 쫓아오고 있었는데, 어느 결엔가 그 애의 울음소리가 들리지 않는 것이었다. 이시바시 히데노가 '매미소리 쏴―/아이는 구급차를/못 쫓아왔네'라는 겨우 17자로 표현한 일은 바로 이 일을 뜻한다.

　오랫동안 하이쿠 시인으로 활약했고 마츠오 바쇼의 작품은 수도 없이 읽었을 테니 '매미소리 쏴―'를 떠올릴 때, 그녀에게는 이제 죽으리라는 예감이 있었을 것이다. 아이의 울부짖음마저도 삼켜버릴 듯한 그 매미소리가 사라지면 그녀는 이 세상을 떠나게 될 터였다. 혼자서만 살아가는 세상이라면, 운명이 굳이 지금 세상을 떠나라고 해도 그다지 아쉬울 것은 없으리라. 하지만 우리 모두에겐 남아 있는 사람이 있지 않은가? 남은 사람들의 기억 속에서 그 일이 반복되는 한, 슬픔은 오랫동안 지속되리라. '아이는 구급차를/못 쫓아왔네'라는 문장은 그처럼 오랫동안 지속되는 슬픔의 한 모습이다. 시간은 그렇게 지속된다.

　그 아이를 화장하고 돌아오던 날 밤, 그 아이가 나를 찾아왔다.

꿈이었으리라. 어쩌면 꿈이라고 생각하고 싶었던 것이었으리라. 그 아이는 아무런 말없이 나를 바라봤다. 나는 이곳에 머물지 말고 떠나가라고 소리쳤다. 부모든, 나든, 그 누구든 절대로 원망해서는 안된다고 몇 번이고 말했다. 그 아이는 아무런 말없이 나를 바라봤다. 뭐라고 말하고 싶으나, 차마 입이 떨어지지 않는 듯한 표정이었다. 나는 다시 소리쳤다. 어서 떠나, 뒤돌아보지 말고 떠나버려. 누구도 원망하지 말고, 그 모든 것을 잊어버리고 떠나버려. 다시는 돌아오지 마. 아이는 그렇게 떠나버렸다. 그리고 내 마음에는 말라죽은 생선 껍질 같은 죄책감이 수북하게 쌓였다. 갑자기 무서워져서 다시 잠들지 못했다. 밤은 그대로 가만히 있는 듯한데, 내 마음만 하염없이 떠다녔다.

우리가 잊고자 애쓰는 일은 결코 잊을 수 없는 일이 아니겠는가? 저도 아직 잊지 못하면서, 이렇게 오랫동안 기억 속에 쌓아두면서 왜 그때는 그렇게 가혹하게 소리쳐야만 했을까? 그러고 보면 결국 이시바시 히데노가 남긴 많은 하이쿠 중, 이 시가 대표작으로 꼽히는 것도 가혹한 일이다. 여섯 살짜리 무남독녀 그 딸아이에게는 그후로도 오랫동안 이 시가 쓰라렸을 텐데.

'아이는 구급차를／못 쫓아왔네'라고 말할 때는 이제 그만 자신을 잊어달라는 소리였겠지만, 아직도 그 아이의 마음은 구급차를 쫓아가고 있을 듯. 귀를 울릴 듯 매미소리가 들리다가 일제히 울음을 그치는 그 순간, 앞으로 찾아올 그 모든 슬픔의 시간이 단단하게 압축된, 빈 공간이 찾아온다. 겪은 사람이라면 절대로 잊지 못하는 순간이다. 누구도 원망하지 말고 잊으라고 소리쳤지만, 정작 나만은 아직도 그 절대적인 공허와 그 절대적인 충만의 순간을 잊지 못하겠다. 시간은 흘러가고 슬픔은 오랫동안 지속된다.

밤마다 나는 등불 앞에서 저 소리 들으며

나는 밤을 사랑한다. 밤은 천 개의 눈을 가진 검은 얼굴을 지녔다. 높은 곳에서 바라보면 그 눈들은 저마다 빛을 낸다. 그 빛 속 하나하나에 그대들이 있다. 외로운 그대들, 저마다 멀리 떨어진 불빛처럼 멀리서 흔들린다. 문득 바람이 그대 창으로 부는가, 그런 걱정이 든다. 하지만 그건 멀리 있기 때문에 흔들리는 빛이다. 한때 우리는 너무나 가까웠으나, 그리하여 조금의 흔들림도 상상할 수 없었지만…….

밤의 얼굴에다 대고 나는 입김을 분다. 내 깊은 숨들이 조금씩 어둠의 물결 속으로 풀려나간다. 이제 나는 점점 줄어든다. 이제 나는 점점 아무것도 아닌 존재가 된다. 이제 나는 어둠 속으로 사라진다. 결코 채워지지 않는 밤으로 나는 스며든다. 그대를 생각하며 밤을 마주할 때, 나는 비밀이 된다. 무엇으로도 해독할 수 없는 암호가 된다.

그대는 오래 전부터 내게 비밀이었다. 내가 밤을 사랑하는 것은 그 때문이다. 밤에는 나도 비밀이 되니까. 우리는 모두 멀리서 흔들리는 불빛이 되니까. 그리하여 밤의 몸과 밤의 살갗과 밤의 온기를 나는 사랑한다. 밤에 그대는 어둠 속으로, 비밀 속으로 스며들 것이다. 밤에 그대는 내 속으로 스며들 것이다. 우리는 모두 밤이 될 것이다. 밤 안에서 우리는 사랑할 것이다.

나는 수많은 그대 중의 하나가 쓴 시를 달빛에 비춰본다.

스스로 탄식함은 내가 원래 다정하여 시름이 많음이니
하물며 가을 바람 불고 밝은 달 마당 가득 비치는 계절임에라.
침실 곁에서 들리는 저 지겨운 때를 알리는 북소리,
밤마다 나는 등불 앞에서 저 소리 들으며 머리가 세어진다.
自歎多情是足愁 況當風月滿庭秋
洞房偏與更聲近 夜夜燈前欲白頭

연인과 사랑에 빠진 시녀를 시기해 채찍질로 죽였다는 그대. 그 일로 인해 스물여섯 살에 처형됐다는 그대. 「가을의 한秋怨」이라는 제목으로 시를 쓴 그대. 깊은 밤, 시간을 알리는 북소리를 저주해야만 했던 그대. 그리고 '夜夜'라고 밤을 두 번이나 써야만 했던 그대. 외로움에 차라리 흰머리로 밤을 밝히려 들었던 그대. 그대에게도 어둠이 스며드나니, 부디 슬퍼하지 말기를. 어둠은 늘 그대 쪽으로, 그처럼 언제나 나도 그대 쪽으로 스며드나니.

그렇게 우리는 사라지고, 천 개의 눈을 가진 검은 얼굴만이 남을
테니.

중문 바다에는 당신과 나

사람이 없는 바닷가는 혼자 서서 바라보는 거울과 비슷합니다. 내 모습이 보이지 않을 수 없습니다. 지난 1월 서귀포에 머무는 동안, 나는 중문해수욕장에 자주 내려갔습니다. 바다보다는 모래가 더 좋았습니다. 화강암과 현무암과 사암 같은 갖은 종류의 돌 부스러기가 한데 모여 있었습니다. 예쁜 돌이 있으면 주워가려고 모래만 바라보면서 걷다가 나는 깨달았습니다. 똑같이 생긴 돌멩이는 하나도 없는데도, 저들이 저렇게 모여 있군요.

당신과 나 역시 그와 마찬가지입니다. 개띠라든가, 혈액형이 A형이라든가, 막내라든가, 별자리가 양자리라든가, 이런 것들이 내가 어떤 사람인지 말해준다고 말들을 합니다. 그에 따르면 나는 성급하고 인내심이 부족하고 쉽게 싫증을 내고 이기적인 유형에 속합니다. 하지만 세상에 똑같이 생긴 돌이 없듯이 같은 유형의 사람은 어디에도 없습니다. 우리는 저마다 자신의 유형일 뿐입니다. 우리가 다른 누군가의 삶을 살아갈 수는 없는 노릇입니다. 그래서 우리는 모여 있는 것입니다.

돌아오는 날, 서귀포에 폭설이 쏟아졌습니다. 눈은 떨어져 금방 녹아버렸습니다. 그런데도 그런 폭설은 오랜만이라고 서귀포 사람들은 말했습니다. 우리 삶이란 눈 구경하기 힘든 남쪽 지방에 내리는 폭설 같은 것. 누구도 삶의 날씨를 예보하지는 못합니다. 그건 당신과 나 역시 마찬가지입니다. 그러나 우리는 지금 잠시 가까이 있습니다. 세월이 흐르고 나면 우리는 아마 다른 유형의 인간으로 바뀔 것입니다. 서로 멀리, 우리는 살아갈 것입니다.

그걸 슬퍼하기 전에 얼른 시집을 펼칩니다. 당나라 시인 왕창령王昌齡의 「부용루에서 신점을 보내다芙蓉樓送辛漸」이군요.

가을비 내리는 강을 따라 밤새 오나라로 들어가고
그대를 보내는 새벽 초나라 산들이 외롭다.
낙양의 친구들이 안부를 물어보면
한 조각 얼음 같은 마음 옥병에 간직했다고 하게.
寒雨連江夜入吳 平明送客楚山孤
洛陽親友如相問 一片氷心在玉壺

누군가 안부를 물어오면 한 조각 얼음 같은 마음 옥병에 간직했다고 전해주세요. 부디.

한 편의 시와 (살아온 순서대로)
다섯 곡의 노래 이야기

3월. 추운 지방. 나 혼자 있는 방에 한국의 친구가 전화를 걸어와 회사 앞에 개나리가 피었다고 했다. 다리가 유난히 긴 북쪽 지방 사람들은 지금이 '춘톈春天' 즉 봄이라고 했다. 그 낯선 말처럼 북쪽 지방의 봄은 내게 낯설었다. 나는 잠시 고개를 숙이고 서울에 핀 개나리를 생각했다. 그리고 서울에 남은 사람들을 떠올렸다.

그날 밤, 빗소리가 들려와 잠이 깼다. 봄비인가 창문을 열고 뜰을 내려다보는데 나무들 사이가 다 환했다. 비가 내리는 것이라면 이건 또 뭔가? 보름달이라도 떴단 말인가? 어리둥절해진 나는 창 밖으로 손을 내밀었다. 빗방울은 손에 잡히지 않았다. 귓바퀴 안에 온통 물 흐르는 소리뿐인데도 말이다.

도무지 이해되지 않는 밤. 나는 눈을 동그랗게 뜨고 창 밖을 바라보다가 방으로 돌아와 한국에 있는 친구에게 전화를 걸었다. 나는 잠이 덜 깬 그에게 오마르 하이얌의 시 한 편을 읽어주었다.

인생의 대상人商이 지나가는 모습을 보라,

매순간 환희를 맛보라!

오, 사키여, 내일의 양식을 걱정하지 마라,

잔을 돌려 포도주를 붓고, 내 말을 들으라, 밤이 가고 있다.

다음날 아침에야 나는 그게 눈이라는 걸 알았다. 한국에서는 개나리가 피었다는 소식이 들려온 날, 여기 두만강 북쪽에는 3월 하순의 눈이 내렸다. 그 눈은 지붕 위에서 밤새 물소리를 내며 녹아내렸다. 그러다가는 아침이 되어 이내 흔적도 없이 사라졌다. 사키란 술좌석에서 시중을 드는 미소년을 뜻한다. 잠자다가 빗소리인가 하여 깨어 창 밖으로 손을 내밀어보는 미소년을 뜻한다. 밤새 내린 3월 하순의 눈이 흔적도 없이 사라져 어디로 가는지 여전히 궁금해하는 나를 뜻한다.

언젠가 나도 오마르 하이얌이 되어 또 다른 미소년을 향해 노래할 것이다. 인생의 대상이 지나가는 모습을 보라, 매순간 환희를 맛보라! 오, 사키여, 내일의 양식을 걱정하지 마라, 잔을 돌려 포도주를 붓고, 내 말을 들으라, 밤이 가고 있다. 밤새 물소리를 내며 녹아내리는 3월 하순의 눈을 슬퍼하지 말고 맘껏 누려라. 인생을 누려라. 밤이 가고 있다. 외로울 틈이 없다. 사키여, 오, 사키여.

서쳐 필링 커밍 오버 미

중학교 시절이었던 모양이다. 4교시가 끝나는 종이 울리고 점심시간이 시작되면 학교 본관 꼭대기에 매달린 스피커에서는 '서쳐 필링 커밍 오버 미'로 시작되는 노래가 울려퍼졌다. 파블로프의 개를 연상시키는 얘기지만, 그 음악이 울려퍼질 때면 나도 몰래 '데스 원더 인 모 에브리씽 아 시, 낫 어 클라우 인 더 스카이, 갓 더 썬 인 마이 아이' 운운하면서 따라 불렀다. 그때만 해도 그 노래를 들으면 가슴이 저려왔다. 왜냐하면 중학생인 내게 그 노래는 어린 시절의 향수를 불러일으키는 묘약과도 같았기 때문이었다.

나와 띠가 같은 큰형에게는 일제 내쇼날 카세트가 있었다. 검은색으로 길쭉하게 생겼는데 녹음도 할 수 있지만, 스피커는 하나밖에 없는 모노 재생으로 한동안 기자들이 잘 들고 다녔던 카세트였다. 집을 고치기 전, 대문 옆 문간방에 있었던 큰형의 방을 드나들 수 있는 사람은 많지 않았다. 함부로 드나들었다가는 혼쭐이 나곤 했는데도 우리 동생들은 번번이 그 방을 몰래 들어가곤 했다.

그 방의 벽에는 알랭 들롱 같은 배우의 흑백사진이 붙어 있었고 책꽂이에는 《소설주니어》 따위의 잡지가 꽂혀 있었다. 그리고 책상에는 마주보고 접을 수 있는 조그만 액자가 있었다. 그 액자

안에는 '소년은 내일은 또 다르리라 생각하고 살았답니다'였던가 '봄 가을 없이 밤마다 돋는 달도 예전엔 미처 몰랐어요'였던가 그런 글귀가 적혀 있었던 것 같다.

하지만 기억 속의 그 모든 광경도 '에빌바디 쿵푸 파이팅'이나 '데 툭 더 홀러 체로키 네이션' 따위로 시작하는 노래가 흘러나오지 않는다면 무성영화의 한 장면이나 마찬가지였다. '서쳐 필링 커밍 오버 미'도 그 방에서 흘러나오던 노래였다. 큰형이 레코드 가게에서 돈을 주고 녹음한 그런 노래들을 들으며 《소설주니어》 같은 잡지를 읽은 까닭은 사춘기 내내 집을 떠날 수 없었기 때문이었나보다. 상업고등학교를 졸업하자마자 큰형은 부산의 조선소에 취직했고 모습을 보기 힘들었다.

큰형이 집을 떠난 뒤에 한옥이던 우리 집은 양옥으로 바뀌었고 그 방은 사라졌다. 내쇼날 카세트는 남았지만, 새로 스테레오 카세트를 구입했기 때문에 더이상 내쇼날 카세트를 들을 이유가 없었다. 우리는 새로 구입한 스테레오 카세트로 '슈퍼맨 맨 맨 맨 맨'이나 '컬러 미 유 컬러 베이비 컬러 미 유 컬'로 시작하는 노래를 들었다. 내 어린 시절의 기억은 그렇게 둘로 나뉘었다. 모노와 스테레오.

내가 중학교에 들어가던 해, 카펜터즈의 카렌은 '아노렉시아 너보사' 즉 신경성식욕부진증이라는 기기묘묘한 병명으로 죽었다. 신문에서 본 카렌의 사망소식은 해외토픽에 실리는 '믿거나 말거나'를 연상시키는 기사였다. 음식을 먹기를 거부하다가 죽었다는 얘기는 제5공화국에서 살아가던 중학생에게는 도무지 이해할 수 없는 일이었다. 그리고 그해, 큰형은 미국으로 떠나버렸다. 지금은 나도, 걸핏하면, 특히 신문을 볼 때면 누구에게랄 것도 없이 이민을 가버리겠다고 협박하곤 하지만, 그때만 해도 왜 가족을 두고 이민을 가는 사람이 있는지 잘 이해하지 못했다.

어쨌든 이 이야기의 끝을 내야만 하겠다. 카펜터즈의 노래 중에 〈Solitaire〉라는 게 있다. 이건 혼자서 하는 카드게임을 뜻한다. 사랑을 잃고 혼자서 하는 카드게임에만 열중하는 사내에 관한 노래다. 이 노래만 들으면 나는 밥 먹기를 거부하고 결국 죽어버린 카렌을 떠올리고 그 다음에는 미국으로 떠나기 전에 큰형이 혼자서 열심히 들여다보던 영어회화책을 생각한다. '서쳐 필링 커밍 오버 미'나 '에빌바디 쿵푸 파이팅' 따위로 시작하는 노래를 들으며 머나먼 나라를 꿈꾸던, 하지만 고등학교를 졸업하자마자 조선소에 취직해야만 했던 한 청년을 떠올린다. 다른 사람에게 이해받을 수 있는 삶을 산다는 것은 얼마나 어려운 일일까? 아직도 카펜터즈의 노래를 들을 때면 나는 가슴이 저려온다. 사실 이 글에서 나는 왜 가슴이 저려오는지 반도 얘기하지 못했다. 당치 않은 얘기겠지만, 그래도 부디 이해해주기를.

DJ 인혁에게 배운 것

예전에 잡지에다가 몇 번 대중음악평론을 썼더니 "도대체 어떻게 하면 대중음악평론가가 됩니까?"라고 묻는 사람들이 많았다. 내 인생에서 가장 불가사의한 일 두 개만 꼽으라면 방위 시절 대대장 관사당번이 돼 날마다 요리를 만든 일과 대중음악평론가가 된 일이다. 그래서 하루는 곰곰이 생각해봤다. 그랬더니 답이 떠올랐다. 이제 내가 어떻게 대중음악평론가가 됐는지 여러분들에게 가르쳐드리겠다.

실은 대중음악에 관한 한, 나는 지극히 정규적인 교육을 받았다. 무슨 음악대학을 졸업했다는 얘기가 아니라, 음악다방 DJ가 하던 '팝송 강좌'에서 공부했기 때문이다. 〈르네상스〉라는 이름의 음악다방으로, 애니 애슬림적인 비장함이 물씬 풍기는 시장통 지하에 있는 곳이었다. 《월간 팝송》 따위의 잡지에 실린 딥 퍼플, 레드 제플린 등의 계보 외우기로는 도저히 팝송의 핵심을 마스터할 수 없다고 생각하던 차에 그 음악다방 벽에 붙여놓은 수강생 모집 안내 포스터를 보게 된 것이다. 그러니까 고등학교 1학년 때의 일이었다.

회비는 한 달에 5천원. 일요일 아침에 모여 DJ의 강의를 들을 수 있고 매달 공부한 팝송을 녹음한 테이프를 하나씩 받는 조건이었다. 조금의 망설임도 없이 나는 그 강의에 등록했다. 우리에게 팝송을 강의할 DJ의 이름은 인혁이었는데, 당시 여고생들의 사랑을 한 몸에 받던, 우수 어린 눈빛에 자기 마음 내키는 대로 선곡하는 것으로 유명한 사람이었다. 도대체 우리가 신청한 트위스티드 시스터즈Twisted Sisters의 〈We're not gonna take it〉 같은 곡을 틀어주던 DJ는 그 유명한 〈르네상스〉의 인혁 밖에 없었으므로 나는 그 유명짜한 사람에게서 본격적인 팝송강의를 듣는다는 사실에 가슴이 설렜다.

그리고 일요일 오전 10시. 도합 6명의 수강생이 〈르네상스〉의 어두운 실내에 모여 앉았다. 우울을 그림자처럼 늘어뜨리고 다니는 DJ 인혁이 우리 쪽은 거들떠보지도 않고 DJ 박스 안에서 뭔가에 열중하고 있었다. 잠시 후, 음악이 흘러나왔다. 천천히 길을 걸어가는 듯한 어쿠스틱 반주에 이어 속삭이는 목소리. 바로 배드핑거Badfinger의 〈Carry on Till Tomorrow〉였다. 내 키만한 높이의 빵빵한 스피커에서 그 노래가 울려퍼질 때의 그 감동이란 아직도 잊혀지지 않는다.

그리고 DJ 인혁이 "이 노래는 비틀스의 폴 매카트니가 키운 영국그룹 배드핑거의 노래로……" 어쩌구저쩌구하는 강의가 시작됐다. 어떤 애는 DJ 인혁의 말을 그대로 받아 적기도 하고 어떤 애는 조는지 고개를 푹 숙이고 꼼짝도 하지 않았다. 나는? 나는 빨갛게 달아오른 얼굴로 존경이 가득한 눈망울로 DJ 인혁을 뚫어져라 바라보고 있었다. DJ 인혁은 그 감출 수 없는 카리스마를 세

례하듯 우리에게 뿌리며 영국 록음악의 역사와 배드핑거의 위치를 번갈아가며 설명하더니 이어 〈Come and Get it〉, 〈Maybe Tomorrow〉 등으로 넘어갔다.

살아오면서 다양한 수업을 받았다. 그 중에 잊혀지지 않는 수업이라면 중학교 들어가 처음으로 영어를 배울 때, 대학교 지하 과방에서 처음으로 사회과학서를 두고 공부했을 때, 훈련소에 들어가 처음으로 사격을 배울 때 등이다. 그 중에서도 잊히지 않는 수업이 바로 DJ 인혁의 팝송강의 첫시간이다. 〈Carry on Till Tomorrow〉에서 〈Come and Get it〉, 〈Maybe Tomorrow〉, 〈Believe Me〉로 이어지는, 포스트비틀스적인 분위기가 넘치던, 따뜻했던 시장통 지하 음악다방의 한때.

물론 나는 그 팝송강의를 결국 졸업하지 못했다. 팝송강의라고 하더라도 매주 일요일 10시면 꼬박꼬박 등교해야만 한다. DJ 인혁이라고 하더라도 출석체크는 반드시 해야 한다. 어느 날 DJ 인혁이 내게 전화했다. "요즘은 왜 나오지 않니?" 나는 아무런 말도 하지 않았다. "이런 식으로 자꾸 빠지면 곤란해. 다음 주에는 꼭 나와라." 고등학교 1학년생으로서는 당연한 일이지만, 시장통에서까지 그런 말을 듣는다는 게 화가 나 나는 그 다음부터 팝송수업에 들어가지 않았다. 그러니까 결론적으로 DJ 인혁의 팝송수업은 내가 대중음악평론을 쓰는 데 조금도 도움이 되지 않았던 것이다.

그럼에도 나는 "도대체 어떻게 하면 대중음악평론가가 됩니까?"라는 질문을 받으면 그때의 일을 떠올린다. 누구에게나, 무슨 일이거나 처음 마음이 있다고 생각한다. 갓 태어난 아이의 눈과 귀처럼 자신을 둘러싼 모든 것을 아무런 조건 없이 받아들이는 시간이 있다. DJ 인혁의 강의를 듣던 그때가 바로 내게는 처음 마음이었다. 그런 처음 마음을 잃지 않는다면, 흘러나오는 모든 노래가 경이롭게 들린다면 그것으로 충분하지 않을까?

마지막으로 그 수업에서 배운 또 다른 사실. DJ가 가르치는 수업은 절대로 듣지 말기를. DJ 역시 사람이라는 사실을 아는 순간부터 뮤직박스에 앉아 있는 그 사람의 카리스마적인 모습에서 러닝셔츠를 입고 머리를 감는 모습, 때가 잔뜩 낀 빗으로 머리를 빗다가 가려운 곳을 긁는 모습, 모처럼 집에 찾아갔다가 아버지에게 꾸중들어 주눅든 모습 등이 연상되니. 그런 모습이 연상된다면 DJ의 생명은 말할 것도 없고 열렬한 청취자의 생명도 끝나버린다. 더없이 안타까운 일이지만.

삶은 구르는 돌처럼

대학이라고 들어가보니 참 한심하기만 했다. 나는 영문학과에 입학했는데, 이건 전혀 내가 의도한 바가 아니었다. 원래 나는 천문학과를 지망했었고 인문계 친구들을 경멸했다. 인문계에서 주로 공부하는 것은 언어를 중심으로 하는 과목들이었기 때문이다. 웃긴 얘기지만 나는 이 세계가 어떤 공식에 의해서 움직인다고 믿었기 때문에 세계의 비밀을 알려면 수를 알아야 한다고 믿었다.

그러다 전기시험에 떨어진 김에 시인이 될 생각으로 국문학과에 가려고 했다. 그런데 지원서를 사려고 서점에 갔더니 내가 존경하는 시인이 다녔던 학교의 원서가 다 떨어진 것이었다. 하는 수 없이 재수를 결심하고 나오는데 내가 들어간 학교의 원서가 눈에 띄었다. 진짜 밑져봐야 본전이라는 생각으로 원서를 샀다.

그 학교의 국문학과 졸업생 중에는 내가 존경하는 사람이 하나도 없었던 데다가 그 시인의 권유도 있어 나는 1지망에 영문학과, 2지망에 법학과, 그리고 3지망에 철학과를 써넣었다. 원서를 가지고 학교에 갔더니 담임선생이 미친놈 취급을 하면서 자기 손으로는 원서를 쓸 수 없다며 교무실을 나가버렸다. 나도 내가 좀 미친 게 아닌가는 생각이 들었다. 하지만 어차피 결과는 둘 중의 하나라고 생각했다. 붙거나 떨어지거나. 생은 때로 그렇게 간단하다. 결국 원서는 다른 선생이 썼다. 그렇게 간단하게 나는 어느 날 영문학과에 등록한 나 자신을 발견했다.

그런 한심한 꼴로 학교를 다니자니 늘 드는 생각이 내가 전혀 상상도 하지 못했던 이 선택에 어떤 숙명 같은 게 있지 않겠는가는 체념이었다. 그게 아마도 이렇게 글을 쓰는 일인지도 모르겠다. 일주일이면 거의 50매에 가까운 글을 쓰는 생활이 1995년부터 이어졌으니 숙명이 아닐 수 없다. 하지만 이런 숙명이 그토록 간단한 과정을 통해서 결정된다는 사실을 아직도 제대로 이해할 수 없다. 진정 구르는 돌처럼 그렇게 굴러다니다가 낯선 곳에 머무르는 게 삶이란 말인가? 구르는 돌에는 이끼가 끼지 않는다는데 내 마음에는 의문만 잔뜩 끼었다.

약관의 뮤지션이었던 알 쿠퍼가 밥 딜런의 역사적인 음반 'Highway 61 Revisited'에 수록될 신곡 〈Like A Rolling Stone〉의 세션 작업을 위해 프로듀서 톰 윌슨을 찾아간 것은 1965년 6월 15일의 일이다. 쿠퍼는 자기가 당연히 기타를 연주하는 줄 알았는데, 막상 도착해보니 마이크 블룸필드가 기타 파트를 연주하는 것이었다. 그제서야 쿠퍼는 자기에게 할당된 것이 오르간이라는 사실을 깨닫게 됐다. 그건 전적으로 잘못된 일이었다. 왜냐하면 쿠퍼는 그때까지 오르간 경력이 전무하다고 할 수 있었기 때문이다. 그런데도 쿠퍼는 오르간을 연주했다. 세션을 그대로 망칠 작정이 아니었다면 무모한 청년의 어처구니없는 시도였다.

나중에 프랭크 자파, 벨벳 언더그라운드 등의 앨범 작업을 하게 되는 프로듀서 톰 윌슨이 그런 사실을 눈치채지 못했을 리 없었다. 톰 윌슨은 오르간이 좀 약하다고 밥 딜런에게 충고했다. 그러자 밥 딜런은 이렇게 말했다. "그럼 소리를 키워." 그걸로 끝이었다. 소가 뒷걸음질치다가 쥐를 잡은 꼴이라고 할 수 있다. 이 사실을 알고 〈Like A Rolling Stone〉을 다시 들으면 이후 알 쿠퍼에게 오르간 세션 요청을 폭주하게 만든 그 역사적인 리프가 새롭게 들리지 않을 수 없다.

  알 쿠퍼는 열네 살 때부터 로열 틴즈라는 그룹에서 활동하며 히트곡을 만들었던 사람이다. 뒤에 그는 〈Like A Rolling Stone〉에서 기타 자리를 놓고 경쟁했던 마이크 블룸필드와는 그 유명한 'Super Session' 앨범을 비롯해 몇 개의 앨범을 함께 만들기도 했으며 유명한 그룹 블러드 스웨트 앤 티어즈Blood Sweat & Tears에도 참여해 〈I Love You More Than You'll Ever Know〉 같은 멋진 곡을 만들기도 했다. 그때마다 키보드, 피아노, 오르간은 모두 알 쿠퍼의 몫이었다. 블룸필드와 쿠퍼가 함께 작업한 'The Live Adventures Of Mike Bloomfield And Al Kooper'의 두번째 곡 〈The 59th Street Bridge Song (Feelin' Groovy)〉의 그 폭포수처럼 쏟아지는 키보드 음을 생각하면 이 삶이라는 것의 정체가 너무나 궁금하기까지 하다.

  자기가 뜻한 바대로 살아가는 사람은 그다지 많지 않을 것이다. 오늘은 거지에게 동전을 던지다가도 내일이면 그 거지의 자리를 지키고 앉아 구걸할지도 모르는 삶이다. 이건 내가 한 말이 아니고 밥 딜런이 그 노래에서 한 말이다. 자신이 뭔가 잘못된 삶을 살아가고 있다는 느낌이 든다면 〈Like A Rolling Stone〉의 배음을 지켜가는 알 쿠퍼의 오르간 소리에 가만히 귀를 기울이는 것도 좋을 듯하다. 그런 자신이 어설프게만 느껴진다면 밥 딜런의 말처럼 '소리를 키우도록.' 때로 단순히 소리를 키우는 것만으로도 역사적인 음반에 참여한 역사적인 키보디스트가 탄생하기도 하니 말이다.

우리는 모두 외로운 사람들

나는 이안 와트의 『소설의 발생』을 공부하면서 소설에 대한 견해를 비로소 가질 수 있었다. 아마도 와트의 이 책이 아니었더라면 소설가가 되지도 않았을 것이다. 와트는 이 책에서 영미권에서 소설이라는 장르가 어떻게 주류 장르로 떠올랐는지 설명한다. 그에 따르면 17세기 영미사회의 기술적 진보가 없었더라면 소설이란 장르는 나타나지 않았을 것이다. 이는 전형적인 문학사회학적인 관점인데, 나는 이 가설이 퍽 마음에 들었다. 이론을 오독했는지 모르지만, 그제서야 천재가 아닌 나도 소설을 창작할 수 있다는 이론적 근거를 얻게 된 것이다.

복잡한 얘기니 각설하고 와트의 이 책은 이런 맥락에 기반한 새로운 관점에서 고전소설을 읽게 만드는데, 『소설의 발생』과 잘 어울리는 짝꿍소설이라고 한다면 바로 다니엘 디포의 『로빈슨 크루소』다. 어린 시절, 동화나 만화로 수없이 보게 되는 작품이다. 무인도에 표류한 로빈슨 크루소가 지식을 이용해 자신의 거처를 만들고 고국 영국으로 돌아가기까지의 모험담. 양념처럼 프라이디가 나와서 우리를 즐겁게 해주던 이야기. 로빈슨 크루소가 칼로 나무기둥을 긁어가면서 날짜를 헤아리던 광경은 아직도 눈에 선하다.

하지만 반 학기 동안 『로빈슨 크루소』를 분석하고 나니 지겨운 영어 문장에 몸과 마음도 지쳤지만, 더 안타까운 사실은 어릴 적 내가 즐기던 『로빈슨 크루소』가 이제 저 멀리 사라졌다는 점이었다. 머루나 산딸기를 따먹으면서 외로운 섬에 홀로 남겨진 자신을 상상하고 나무 위에 올라가 저 산 너머에는 과연 무엇이 있을까 궁금해하던 시절도 『로빈슨 크루소』와 함께 사라져버렸다. 우리들은 차례로 교단에 올라가 『로빈슨 크루소』는 자본주의적 관점에서 세계를 설명한 소설이며 프라이디를 대하는 태도는 전형적인 식민주의라고 말해야만 했다. 물론 당시에는 어떠한 애절함도 없었다. 그런 배경이 깔려 있는 소설을 나 같은 동양인 아이가 즐기면서 읽었다는 사실에 분노마저 느꼈으니. 이로써 『로빈슨 크루소』와 이 책을 읽던 어린 나는 영영 사라졌다.

그리고 대학을 졸업했고 한동안 집에 있다가 한 잡지사에 취직했다. 거기서 음악 기사를 쓰느라 레코드사의 홍보담당자와 친하게 지냈다. 유명한 외국 가수들의 기자회견이 있는 날이면 함께 찾아가 호텔 부페도 얻어먹고 호텔 앞뜰을 산책하기도 했다. 그러다가 어느 날, 무슨 얘기 끝에 내가 곧 결혼할 것이라고 말했다. 업무상 만나는 관계니 울거나 배신감이 느껴진다거나 그럴 일이 전혀 없다. 다만 그녀는 깜짝 놀라면서 왜 이제야 얘기했느냐고 말했다. 지금 말하지 그러면 언제 말합니까, 라고 대꾸했다. 결혼하기 한 달 전이었다.

그리고 신혼여행 갔다가 회사에 돌아오니 엄청나게 큰 꽃다발과 CD가 있었다. 동료들이 정말 좋겠다고 소리를 질렀다. 보낸 사람은 그녀였다. 카드에 결혼을 축하한다는 말이 적혀 있었다. 지극히 사무적인 말투였다. 그때 받은 CD가 아트 오브 노이즈 Art of Noise의 베스트 앨범이었다. 모자이크로 가려진 한 여인, 내가 볼 때엔 성모의 얼굴이 표지에 그려져 있었다.

아트 오브 노이즈는 그 이름에서도 알 수 있다시피 음악적 실험을 추구하던 그룹이다. 여자들의 목소리로 이끌어가는 〈Opus〉는 필립 글래스의 미니멀리즘 음악과 닮았으며 프린스의 음악을 리메이크한 〈Kiss〉는 인더스트리얼 음악과 흡사하다. 이런저런 전자효과음이 계속되는, 실로 건조하기 짝이 없는 '소음의 예술'인 것이다. 그 중의 한 곡이 바로 〈Robinson Crusoe〉다. 그런데 이 곡은 그들의 다른 작품과는 사뭇 다르다. 지금은 엠비언트라고 부르는, 서정적인 멜로디라인을 가진 전자음악이다.

『로빈슨 크루소』의 어디쯤을 묘사하는 것일까? 시종일관 처음부터 끝까지, 처음에는 큰소리였다가 점점 잦아드는 배면의 전자음을 파도소리라고 볼 수 있을까? 외롭게 멜로디를 연주하는 오르간 소리를 망망대해를 눈앞에 둔 고독한 로빈슨 크루소의 심정이라고 말할 수 있을까? 로빈슨 크루소의 섬으로 황혼이 내리고 지루하게 되풀이되는 무인도에서의 또 하루가 끝나가고 있는 듯하다. 고향은 거기에서 멀고 다만 보이는 것은 층층이 밀려오는 파도뿐이다.

이 노래를 들으며 아주 오랜만에 자본주의적 기업인의 상징인 로빈슨 크루소가 아니라 고도에 낙오된 한 인간으로서의 로빈슨 크루소를 만날 수 있었다. 나는 그녀를 떠올렸다. 업무상 만나는 그녀에게도 내면이 있었겠지. 내가 그녀에 대해 아는 것이라고는 그녀 쪽에서 보자면 극히 작은 일부분이었으리라. 그러고 보면 인간은 참 서로에게 쓸쓸한 존재다. 하지만 이것도 〈Robinson Crusoe〉를 들으며 전적으로 내 쪽에서 한 생각일 뿐이다. 며칠이 지나자, 그녀는 정색한 목소리로 자기 레코드사의 신보를 꼭 소개해야 한다고 주장했다. 그 레코드사를 너무 자주 소개했기 때문에 곤란했다. 결국 나는 그녀의 내면을 내 멋대로 상상하는 일을 포기하고 볼멘소리를 해야만 했다. 업무상 만나는 인간이란 참 서로에게 쓸쓸한 존재다.

침수된 화력발전소

잊혀진다는 것은 꽤나 슬픈 일이다.

언젠가 사북에서 삼척을 넘어가는 길에 폐가로만 이뤄진 마을을 만난 적이 있었다. 스티븐 킹의 소설에나 나올 만한 을씨년스러운 분위기의 마을이었다. 세상에는 다양한 종류의 마을이 있다. 황영조 마을도 있고, 산수유 마을도 있다. 하지만 그런 마을에 대해서는 들어본 적이 없었다. 당연한 일이다. 사람이 살지 않는 마을은 더이상 마을이라고 부를 수 없기 때문이다. 더이상 마을이 아닌 그 어떤 것. 이제는 누구도 그 내력을 알 수 없는 그 어떤 것. 영영 잊혀져버린 것.

1997년 필리핀의 마닐라에서 택시에 올라탔을 때의 일이다. 화려한 색깔의 선팅지와 비닐테이프로 택시 안을 울긋불긋하게 꾸며놓은 필리핀 운전수는 마닐라 간선도로의 지루한 교통체증을 80년대 뉴웨이브 음악으로 달래고 있었다. 소프트 셀의 〈Tainted Love〉라든가, ABC의 〈The Look of Love〉 같은 곡. 만만한 곡들이 아니었기 때문에 놀랐다. 말하자면 우리나라 택시운전수들이 트롯 메들리를 틀어놓듯이 그 사람은 80년대 뉴웨이브 음악을 듣고 있었던 셈이다. 도로가 너무 막히자, 그는 도어록을 잠그더니 우회전해서 관광지도에는 나오지 않는 마닐라 외곽의 지름길로 차를 돌렸다. 왜 잠그냐고 묻자, 위험한 동네라고 짧게 대답했다. B-52s의 싱거운 음악이 들려오는 동안, 운전수와 나는 아무런 말도 하지 않았다.

그곳이 위험한 동네였기 때문이 아니다. 내가 잊어버린 어떤 기억 속의 동네였기 때문이다. 가게 앞 흐린 백열등 아래서 맥주를 마시는 사람들, 자전거를 타고 지나가는 중년의 사내, 더러운 하수구. 비스듬한 가로등 주위를 맴도는 날벌레들. 내가 한 여덟 살 정도의 나이였을 때, 우리 동네가 꼭 그런 모습이었다. 그 동네를 나는 까마득히 잊어버리고 있었던 것이다.

그러다가 그 노래가 생각났다. F. R. 데이비즈의 〈Long Distance Flight〉. '나는 떠오르는 태양을 본다. 오늘은 특별한 날이다'라는 가사로 시작하는 노래다. 장거리 야간비행을 하는 연인을 그리는 내용이었다는 생각이 든다. 하지만 그런 내용과는 무관하게 'You're flying high, high in the sky'라는 가사를 한없이 읊조리며 영어 단어를 외우고 미래를 꿈꾸던 시절이 내게도 있었다.

푸르도록 짙은 밤하늘을 쉬지 않고 날아가는 어떤 존재. 어렸을 때, 이제는 흔적도 희미한 고향집 이층방에서 들었던 〈Long Distance Flight〉는 내게 알 수 없는 고독과 용기를 동시에 던져준 곡이었다. 밤하늘처럼 펼쳐지는 신디사이저 음은 생텍쥐페리의 소설 『야간비행』이 강조하는 용기의 다른 이름이 아니었을까는 생각이 든다. 나중에 펫 메스니의 〈Are You Going With Me〉를 듣기 전까지 이 노래는 나를 밤하늘의 몽환 속으로 이끄는 환각제나 다름없었다.

튀니지 출신의 이상한 본명을 가진 F. R. 데이비즈는 정말 이상한 가수라는 생각이 많이 든다. 뉴웨이브 / 일렉트로닉이 느린 유로댄스와 결합하는 그 사이의 어느 지점에 위치해 있다. 하지만 F. R. 데이비즈의 노래에 맞춰 춤춘다는 것은 결코 쉬운 일이 아니다. F. R. 데이비즈의 인기가 하늘을 찌르던 80년대 초반에는 〈Pick Up The Phone〉 같은 노래가 응원가로 쓰이기도 했지만, 궁극적으로 춤추기에는 곤란한 노래다. 그래서 팝 발라드라고도 하지만, 그러기에는 별로 달콤하진 않다. 그 이상한 형태를 하고 F. R. 데이비즈의 노래는 우리나라에 들어와 거의 모두 히트했다.

2집도 그런대로 반응이 좋았다. 〈Liberty〉〈Girl〉〈Long Distance Flight〉가 다운타운 음악차트를 휩쓸었다. 그런데 그것으로 끝이었다. 도대체 무슨 일이 있었단 말인가? 교도소라도 갔다 왔는가? 아니면 재능을 모두 불태우는 사랑에라도 빠졌던가? 기록에 따르면 3집도 발매했고 1991년에는 'Greatest Hits'도 엮어냈다고 한다. 하지만 그는 이제 침수된 화력발전소와 같은 신세였다. 'Greatest Hits'라는 것은 그런 상황에서 할 수 있는 최상의 농담에 가깝다. 잊혀진다는 것은 꽤나 슬픈 일이다.

서울로 돌아와 나는 F. R. 데이비즈의 그 노래를 구하려고 무던히도 애를 썼다. 하지만 1997년 F. R. 데이비즈의 흔적은 어디에도 남아 있지 않았다. 그는 깨끗하게 잊혀진 것이다. 편집해서 발매하는 뉴웨이브 컴필레이션 음반에도 그는 들어 있지 않았다. 한때 폭발적인 인기를 얻었으나 이제는 구해 듣기도 힘든 놀란스, 둘리스, 몽키스 등 '스'로 끝나는 치욕적인 부류에 그도 속하게 됐으니 어차피 가명인 그 이름도 F.R.데이비스로 바꿔야만 할 처지가 된 것이다. 청계천에서 겨우 덤핑 판매하는 CD를 구했으나 그 음반은 1·2집을 제멋대로 뒤죽박죽 섞어놓은 CD였다. 하긴 'Greatest Hits'라고 해도 믿지 않을 도리가 없었지만, ⟨Long Distance Flight⟩는 보이지 않았다.

그러다가 집에 돌아와 혹시나 하는 생각에 옛날 카세트테이프 더미를 뒤졌더니 표지도 사라지고 케이스도 없는 2집 앨범이 나왔다. 처박아 두고도 잊어버렸던 카세트테이프였다. 조심스럽게 데크에 집어넣고 플레이를 누르니 이제는 누구도 찾아듣지 않는 노래들이 나왔다. ⟨Stay⟩라든가 ⟨Liberty⟩ 같은 곡들. 춤추기에는 느리고 발라드라고 하기에는 빠른 곡들. F.R. 데이비즈만의 'Greatest Hits'. 1980년대 초반 어두운 밤만의 'Greatest Hits'. 그리고 'I see the rising sun. This is the special day'로 시작하는 F.R.데이비즈식의 프로그레시브 음악을 들으며 눈을 감았다.

어둠 속에 잊혀졌던 마을이 서서히 윤곽을 드러낸다. 오래된 외투 주머니처럼 익숙한 골목길들, 결코 잊지 못할 것이라고 생각했던 나무들, 푸르디푸른 밤하늘에 검은 그림자로 선 지붕들. 잊혀진다는 것은 물론 꽤나 슬픈 일이지만, 잊혀졌기 때문에 오랫동안 그 마을은 괴기할 정도로 아름다울 수 있었을 것이다.
〈Long Distance Flight〉를 들으며 나는 잊혀지는 것도 그렇게 아쉬운 일만은 아니라는 생각을 하게 됐다. 잊혀진 것들은 변하지 않고 고스란히 내 안에 남아 있는 것들이기 때문이다.

서른 살 너머까지 살아 있을 줄 알았더라면

스무 살 그 즈음에 삶을 대하는 태도는

뭔가 달랐을 것이다.

이따금 줄 끊어지는 소리 들려오누나

"꼭 한 마리 새처럼 앉아 있더구나."

누군가와 통화를 하는데 그 사람이 한 여자아이를 가리켜 이렇게 말했다. 한 번도 만난 적도, 얘기를 들은 적도 없었는데 문득 그 여자아이를 사랑할 것만 같은 예감이 내게 물밀듯 밀려왔다. 스무 살 무렵의 일이다. 만나기도 전에 누군가를 사랑하는 일이 가능할까? 스무 살 무렵이라면 충분히 가능하다.

실제로 만나자마자 우린 사랑에 빠졌다. 아니다. 말을 바꿔야 할 것 같다. 만나자마자 나 혼자 사랑에 빠진 것이다. 우리는 그렇게 단 한 번 만났고 오랫동안 헤어져 지냈다. 그 여자아이는 막 고등학교 졸업을 앞둔 단발머리의 소녀였다.

아직 나이가 어린 사람은 잘 모를 것이다. 나 역시 그랬으니까. 그 당시만 해도 나는 내가 서른 살이 넘어서까지 살아 있을 것이라는 사실을 제대로 실감하지 못했다. 내 계획은 정확하게 입대할 때까지만 세워져 있었다. 대학을 졸업한 뒤 20대 후반까지는 간신히 미래의 내 모습을 그려낼 수 있었지만 서른 살 너머까지는 무리였다. 그러므로 서른 살 이후라는 것은 미지의 영역이었다.

내가 서른 살 너머까지 살아 있을 줄 알았더라면 스무 살 그 즈음에 삶을 대하는 태도는 뭔가 달랐을 것이다. 그 아이와 나는 대학로와 종로와 신촌 등지를 잘 걸어다녔다. 한번은 롤러스케이트를 타려고 동대문운동장 근처까지 갔다가 결국 롤러스케이트장이 사라졌다는 사실만을 확인하고 벼룩시장이 있는 청계 8가를 지나 종로 5가를 따라 걷다가 창덕궁 쪽까지 걸어간 적이 있었다. 바람이 쌩쌩 부는 추운 날이었지만, 그다지 추웠던 기억은 남아 있지 않다. 걷다가 말다툼을 했지만, 무엇 때문이었는지도 기억에 남아 있지 않다. 다만 걸어가던 그 길의 경로와 건물들만이 내 머릿속에 뚜렷하게 남아 있다.

그 당시만 해도 먼 훗날 그 거리를 걸어가는, 서른 살이 넘은 내 모습을 상상조차 할 수 없었다. 당장 그 아이와 내가 어떻게 될지도 모르는데 하물며 서른 살 너머까지 상상할 겨를이 있었겠는가. 하지만 이제 그 거리들을 걸어가노라면 10여 년 전쯤 어깨를 부딪히며 걸어가던 한 젊은 연인의 모습이 눈에 보이는 듯하다. 새로운 건물이 지어졌다고는 하지만, 그때와 변함없는 모습이 더 많다. 거리의 모습은 그대로인데, 이제 우리는 서로의 소식을 애써 알려고 하지 않는 사람이 됐다. '10여 년 전의 일이 어제처럼 생생하다'는 말은 거짓말이다. 단 하루가 지난 일이라도 지나간 일은 이제 우리의 것도, 살아 있는 것도 아니다. 시간을 되돌린다고 하더라도 그 눈빛을 다시 만날 수 없다. 우리는 이미 발을 동동거리며 즐거움에 가득 차 거리를 걸어가던 그때의 그 젊은이와는 아주 다른, 어떤 사람이 됐기 때문이다. 세월이 흘렀기 때문에 우리가 변한 게 아니라 우리가 변했기 때문에 세월이 흐른 것이다. 어찌할 바를 모르겠지만, 결국 인정할 수밖에 없는 일이다.

그 아이를 다시 만난 것은 제대를 반 년 정도 앞두고 휴가를 받아 나왔을 때였다. 플라타너스 이파리가 시퍼렇게 익어가던 뜨거운 여름날이었다. 친구와 잡담하면서 명륜동 거리를 걸어가고 있던 참이었다. 바로 그때 내 눈앞으로 뭔가가 지나갔다. 지나간 게 뭔지 바로 깨닫지 못하고 한참 걸어가고 나서야 나는 돌아볼 수 있었다. 다시 사람들을 헤치며 달려가 길을 가로막았다. 그 아이였다. 그 아이는 문예회관 대극장에서 관객들이 모두 들어가면 문을 닫아주는 일을 하고 있다며 다음날 문예회관 대극장으로 오라고 말했다. 다음날 나는 공짜로 문예회관 대극장 맨 뒷좌석에 앉아 〈쿠니나라〉라는 괴상한 제목의 연극을 봤다. 나는 연극을 보는 내내 '이번에는 절대로 너를 보내주지 않겠다'라고 다짐했다. 물론 〈쿠니나라〉라는 그 연극의 주제와는 아무런 상관이 없는 감상평이었다.

그리고 반년간 몇 번의 편지와 전화가 오갔다. 편지를 보내고 나면, 혹은 전화를 끊고 나면 마음 한구석이 너무나 허전했다. 한번은 밤늦게 대대장 관사에 다녀오는 길이었다. 관사에서 귀대하려면 작은 언덕 꼭대기에 만들어놓은 헬기장을 지나쳐야만 했다. 블록에 페인트를 칠해 만든, 하얗고 큰 'H'자 위를 지나갈 때의 일이었다. 문득 그곳에서 걸음을 멈추고 주변을 둘러봤다. 사방 팔방 하늘과 땅 위에 그 무엇도 없었다. 정말 무시무시한 공허였다. 그 공허 속으로 나란 존재가 빠져들어 산산조각날 것만 같았다. 그 속으로 들어가고 싶은 욕구와 들어가면 안된다는 생각이 함께 들었다. 나는 결국 그 환희에 찬 공허를 거부하고 부대로 돌아왔다. 나를 사로잡던 그 공허감이 도대체 무엇인지는 알 수 없었지만, 어쨌든 얼마 뒤 나는 제대하게 됐다.

제대하고 정확하게 석 달 뒤 그 아이는 미국으로 떠나버렸다. 도대체 무엇 때문에 어떤 사람들은 외국으로 가야만 하는 것일까? 어떻게 떠날 수가 있을까? 제대를 앞둔 무렵, 나를 사로잡았던 그 공허감이 무엇인지 그제야 이해가 갔다. 그 아이를 보낸 뒤, 내가 한 일이란 그동안 내가 사귀었던 여자아이들을 기억해내고 그녀들에게 내가 얼마나 나쁜 일을 했는지 참회하거나 문장마다 후회에 가득 찬 일기를 쓰는 일이었다. 이제는 얼굴도 감감한 여자아이들에게까지 왜 그렇게 용서를 빌고 싶었을까? 그 공허감이란 결국 새로 맞닥뜨려야만 하는 세계에 대한 두려움 때문에 도피해 들어가는 자폐의 세계였던 것이다. 번데기가 허물을 벗듯이, 새가 알을 깨듯이 우리는 자폐의 시간을 거쳐 새로운 세계 속으로 입문한다. 그 시간을 견디지 못하면 결국 그 세계에서 빠져나오지 못하게 된다.

이제는 웬만한 일에는 놀라지도 않는 사람이 됐다. 내 생활을 뿌리째 흔드는 큰일이 벌어지지 않는 한, 그 무시무시한 공허 속으로 들어가고픈 욕구를 느끼지도 않을 것이다. 하지만 가끔 처음이라고 생각하며 길을 걷는데 언젠가 그 길을 걸어간 듯한 느낌이 들 때가 있다. 언제일까, 혼자서 곰곰이 기억이 하는 말에 귀를 기울이다 보면 쨍하고 종소리 비슷한 게 들릴 때가 있다. 내 가슴속에서 들리는 낮고 묵직한 종소리. 애써 귀를 기울이지 않으면 전혀 들리지 않는 그 소리.

이덕무가 글을 뽑고 박제가가 서문을 붙인 『학산당인보기學山堂印譜記』에 보면 이런 구절이 나온다.

거문고 갑 속에 간직하여 두었더니
이따금 줄 끊어지는 소리 들려오누나
孤琴在幽匣 時迸斷弦聲

내 마음속에 간직해둔 거문고들도 이따금 줄 끊어지는 소리를 울린다. 그 소리가 들릴 때면 나는 또 얼마나 놀라는지! 나는 참 많이도 흘러 내려왔구나. 항상 삶은 예상했던 것보다 더 오래 지속되는구나. 스무 살, 그 무렵에 나는 '이제 그만 바라보자 / 저렇게 멀리서 반짝이는 섬들을'이라는 내용의 시를 썼지만, 이제는 그렇게 멀리서 바라보는 빛이, 마치 새로 짠 스웨터처럼, 얼마나 따뜻한지, 또 얼마나 아름다운지 알 것 같아 가만가만 고개만 끄덕인다. 이따금 마음에서 울리는 그 소리를 들으며 가만가만.

청춘은 그렇게 한두 조각 꽃잎을 떨구면서

산동네의 겨울은 일찍 시작됐다. 북악 스카이웨이와 고도가 거의 비슷한 정릉 4동 산꼭대기에 살 때만 해도 남들보다 먼저 연탄을 들여놓아 마음이 편해지면 겨울이 온 줄 알았다. 대학교 시절 내가 살았던 자취방은 흔히 닭집이라고 부르는 형태였다. 도로를 따라 일렬로 부엌과 방이 하나씩 딸린 집들이 길게 이어졌고 내가 사는 집 아닌 집도 그 중의 하나였다. 일본인들은 이런 집을 1DK라고도 표현하던데, 그런 우아한 말과는 상당히 거리가 먼, 굳이 일본말을 사용하자면 '하꼬방'이었다. 정릉에서 보낸 마지막 겨울, 나는 추위를 견디고 견디다가 마침내 연탄 1백 장을 들여놓기로 했다.

연탄을 들여놓는다고는 하지만, 사실 보관할 곳도 마땅하지 않았다. 말이 부엌이지 수도꼭지와 시궁창을 설치한 게 전부였고 방도 네 개의 벽과 천장이 있다는 것만을 의미할 뿐이었다. 그래서 연탄은 마루 밑처럼 생긴 방 아래쪽 공간에다가 옆으로 눕혀서 보관했다. 마루처럼 보이는 온돌방이라니, 이거 상당히 설명하기 곤란한 지경이지만 어쨌든 그렇다고만 해두자. 지새야 할 숱한 밤과 피워야 할 많은 연탄불이 나를 기다리고 있었으므로 나는 호기롭게 번개탄도 한 묶음 사서 첫번째 연탄에 불을 당겼다.

그런데 이게 웬일인가, 아무리 기다려도 방은 따뜻해지지 않았다. 기다려도 기다려도 방은 따뜻해질 기미가 보이지 않았다. 보일러에 물이 없는 줄 알고 물을 부었더니 마루 위에 깐 온돌에서 물이 새어나오기 시작했다. 고개를 숙여 살펴봤더니 지난해까지만 해도 멀쩡했는데 어느 틈엔가 시궁쥐들이 물을 공급하는 호스를 다 갉아먹은 게 보였다. 불쌍한 시궁쥐들. 얼마나 먹을 게 없으면 호스를 갉아먹는단 말인가. 결국 방밑에 98장의 연탄과 9장의 번개탄을 쌓아두고도 나는 전기장판 하나로 겨울을 날 수밖에 없었다.

그즈음, 제대한 친구 하나가 무작정 상경했다. 비빌 언덕 하나 없던 젊은 청춘이었으니 그 친구는 하꼬방이나마 내 방으로 찾아들 수밖에 없었고 나는 한 사람이라도 더 들어오면 방이 따뜻했으므로 대환영이었다. 그런데 그 친구는 술만 취하면 뭔가를 집어오는 게 취미였다. 가게에서 물건을 슬쩍한다는 얘기가 아니라 길을 가다가 사람들이 버린 의자며 장롱이며 거울 따위를 들고 온다는 얘기다. 내가 살던 집이 대저택이라면 수영장을 뜯어온다고 해도 말리지 않겠지만, 누워 있노라면 꼭 관 속에 넣어진 채 버스정류장 옆에 버려진 듯한 느낌이 드는 곳이었기 때문에 문제가 상당히 많았다.

머리맡의 물이 얼어붙는 강추위의 시간이 지나면서 수도꼭지 앞에는 그 무게도 육중한 이발소 의자가, 우리가 자는 방 옆에는 천장까지 닿는 장롱이, 방바닥에는 침대도 아닌 침대 아래쪽의 나무받침이, 책받침만한 창가에는 스티로폼 따위를 채워서 만드는 둥근 천 소파 따위가 놓이게 됐다. 살림이 늘어갔지만, 전혀 즐거울 만한 상황이 아니었다. 쓰레기장이나 다름없었다. 그러니까 우리도 쓰레기나 다름없었다.

그러던 어느 날, 근처 가톨릭 계통의 고아원에서 봉사하는 청년들과 떠들썩하게 술을 마셨다. 고작 베니어합판 하나로 막은 양쪽 벽 너머에 사람들이 자고 있는데 그렇게 떠들어대다니 지금 같으면 엄두도 내지 못할 일이었다. 하지만 그때는 그런 관념 자체가 없었다. 한참 떠드는데 소리가 나는가 싶더니 사람들이 들이닥쳤다. 경찰들이었다. 그들은 들어오다가 그만 수도꼭지 옆에 있는 이발소 의자에 부딪혔다. 앞장선 경찰이 이발소 의자를 의심스러운 눈초리로 바라보면서 소리쳤다.

"지금 뭐 하고 있습니까? 도박한다고 신고가……."

그 경찰은 말을 잇지 못했다. 방 꼴을 보니 도저히 도박할 만한 사람들의 방이 아니었기 때문이었다. 방바닥에 판돈이 굴러다녔다면 우리는 그 돈으로 소주를 사 마셨을 것이다. 그때 친구가 소리쳤다.

"우리 좀 잡아가요, 아저씨. 우리 도박했어요. 우리 좀 잡아가요."

느닷없는 말이었다. 나는 얼른 뛰어나가 경찰들에게 떠들지 않겠다고 말했다. 그러는 동안에도 친구는 계속 소리쳤다. 우리 좀 잡아가요, 아저씨. 경찰들은 내게 주의를 주더니 곤란하다는 표정으로 얼른 사라졌다. 그제야 정신이 번쩍 들었다. 누군가가 나도 잡아갔으면 하는 생각이 들었다. 그곳에서 벗어나고 싶었다. 겨울은 영원히 계속될 것만 같았다. 그해 겨울, 우리는 겨울이라는 곳에 살고 있다고 생각했다.

정릉 산꼭대기에서 보낸 그 마지막 겨울이 사실은 내게 봄이었다는 것을 깨닫게 해준 사람은 당나라 시인 두보였다. 두보는 「곡강 이수曲江 二首」의 첫번째 수를 이렇게 시작했다. '人生七十古來稀'라는 유명한 구절이 담긴 시다.

한 조각 꽃이 져도 봄빛이 깎이거니
바람 불어 만 조각 흩어지니 시름 어이 견디리
스러지는 꽃잎 내 눈을 스치는 걸 바라보노라면
몸 많이 상하는 게 싫다고 술 머금는 일 마다하랴
一片花飛減却春 風飄萬點正愁人

且看欲盡花徑眼 莫厭傷多酒入唇

그해 겨울, 나는 간절히 봄을 기다렸건만 자신이 봄을 지나고 있다는 사실만은 깨닫지 못했다. 한 조각 꽃이 져도 봄빛이 깎이는 줄도 모르고 시간이 흐르고 흘러 빨리 정릉 그 산꼭대기에서 벗어나기만을 간절히 원했다. 그러는 동안에도 제대한 친구는 버려진 순간온수기니 컴퓨터책상 따위를 집 안으로 옮겨 날랐다. 우리는 점점 더 쓰레기더미의 한가운데로 몰리고 있었다. 가끔 너무 추운 날에는 방밑에 넣어둔 번개탄과 연탄을 꺼내 그냥 난로 삼아 불을 지핀 뒤 이발소 의자에 앉아 불을 쬐고는 했다. 그럴 때면 굴뚝으로 매캐한 연기가 뿜어졌다. 연탄의 검은빛이 허공 속 연기로 사라지듯 우리 청춘의 꽃잎은 그렇게 한 조각 한 조각 져버렸고 봄빛이 깎이었다.

얼마간 시간이 또 흐르고 진달래, 개나리, 목련 등이 꽃을 피우기 시작했다. 친구는 다시 고향으로 내려갔고 소설 당선금이 생긴 나는 누나와 돈을 합쳐 기름보일러가 있는 집으로 옮겨가게 됐다. 집을 보러 온 사람에게 나는 좋은 소식 한 가지와 나쁜 소식 한 가지를 동시에 알려줬다. 좋은 소식은 방밑에 90장 가까이 연탄이 있다는 것, 나쁜 소식은, 하지만 쥐가 보일러 호스를 쏠아놓아 그 연탄이 소용없다는 것. 떠나기 전날 밤, 소주와 오징어를 무던히도 사먹었던 동네 구멍가게에 갔더니 성공해서 그 동네를 떠나가게 된 것을 축하한다며 아주머니가 오렌지주스 1.5리터를 내게 선물했다. 짐을 꾸려놓은 방에 돌아와 나는 그 주스를 혼자서 다 마셨다. 혼자 마시기엔 양이 너무 많았고 속이 쓰라렸다.

다음날, 이삿짐 트럭을 타고 언덕길을 내려가면서 나는 그 언덕에서의 삶이 내겐 봄이었다는 사실을 깨달을 수 있었다. 꽃시절이 모두 지나고 나면 봄빛이 사라졌음을 알게 된다. 천만 조각 흩날리고 낙화도 바닥나면 우리가 살았던 곳이 과연 어디였는지 깨닫게 된다. 청춘은 그렇게 한두 조각 꽃잎을 떨구면서 가버렸다. 이미 져버린 꽃을 다시 살릴 수만 있다면 그 시절로 돌아가고 싶다.

등나무엔 초승달 벌써 올라와

  김광석이라면 언제라도 1989년 여름, 춘천에서 강릉으로 넘어가던 시외버스가 기억난다. 승객이 거의 없던 그 시외버스 안에서 나는 친구의 연애담을 전해 들었다. 운동 서클 안에서 선배 여학생과 몇 달에 걸쳐서 알고 지내다보니 어느덧 남몰래 정이 들었다. 그러다가 그 사실을 알게 된 남, 그러니까 남자선배 하나가 어느 날, 친구를 불러내 이런 식으로 연애하면 곤란하다고 경고했다. 그로부터 먼 훗날, 후일담 소설이라는, 재미없는 소설들에 흔히 나올 만한 진부한 소재였다.

  하지만 당시만 해도 우리는 설요薛瑤의 시구마냥 "아아, 장차 어이할꼬, 이 청춘을將奈何兮是靑春"의 청춘이었다. 어이하긴 어이하겠는가? 결국 둘 중의 하나를 선택하라는 말에 친구는 여자선배를 선택하고야 말았다. 지금 생각하면 너무나 당연한 선택이라고 느껴지는데, 그때만 해도 우리 같은 인간들도 백만 애국 학도들에 속했기 때문에 그 친구는 여자 때문에 조국을 버렸다는 죄책감에 사로잡혀 있었다.

조국이 버림받거나 말거나. 나는 그 친구의 얘기가 너무나 재미있었다. 그래서? 그래서? 키스는 해봤어? 해봤지. 어디서? 밤의 캠퍼스 안에서. 얼씨구. 나무 아래 벤치에 앉아 입을 맞추는데……. 지화자. 그런데? 누가 불빛을 우리에게 비췄어. 누가? 그 남자선배? 변태 같은 녀석? 그게 아니라……. 친구는 잠시 말을 멈췄다. 규찰대가. 프락치를 색출하고 학원을 보위할 규찰대 손전등의 본분을 그렇게 망각해도 되는 것이야? 내가 소리쳤다. 아니야. 괜찮은 사람들이었어. 실례했습니다. 위험하니까 너무 늦게까지 하지는 마십시오. 그렇게 말하고 다시 불을 껐어.

규찰대야 학원을 보위하거나 말거나, 밤의 캠퍼스 어두운 구석에서 일어나는 일들에 대해 귀를 쫑긋 세우고 듣는데, 갑자기 소리가 아득해지기 시작했다. 과연 학문의 전당에서 그런 일들을 저질러도 되는 것인가는 생각에 정신이 아득해졌기 때문, 이라기보다는 시외버스가 대관령을 올라가면서 갑자기 귀가 멍멍해진 것이다. 대략 밤의 캠퍼스에서 여자와 입을 맞추는 심정이 그 멍멍한 느낌과 비슷한 것인지, 친구는 잠시 말을 잊고 눈이 부시게 푸르른 날에 그리운 사람을 그리워하는 표정을 짓고 있었다. 비가 내리면 어떡하려고? 눈이 내리면 또 어떡하려고?

그러다가 갑자기 친구가 김광석의 노래를 불렀다. 키스까지 했다면서 '난 아직 그대를 이해하지 못하기에' 어쩌구저쩌구하는 노래를 불렀다. 아직도 이해하지 못하겠다니, 그렇다면 아직 같이 자지는 않았단 말인가, 는 의심이 채 들기도 전에 나는 그 노래에 빠져버렸다. 승객이 거의 없는 밤의 시외버스고 대관령을 넘어가고 있어 귀가 멍멍하고, 진부하기 짝이 없으나마 그 나이로서는 너무나 설득력이 넘치는 연애담을 들은 직후라면, 그 누가 부르든 김광석의 노래에 빠져들 수밖에 없다. 내가 아는 한, 김광석이 부른 노래란 그런 노래다. 그의 노래에는 청춘의 결정적 순간에만 맛볼 수 있는 설득력이 있다.

정릉에 살 때의 일이다. 길을 따라 조금만 내려가면 나오는 언덕배기에 명동성당에 다니는 여자들 네 명이 집을 빌려서 함께 살고 있었다. 마찬가지로 같은 동네에 살던 선배 시인도 그들과 함께 성당에 다녔던 터라 그를 따라 나도 그 집에 놀러갈 일이 자주 있었다. 집은 슬레이트 지붕의 옛집이로되 북악 스카이웨이 맞은편 언덕 높이 위치한 데다가 마루로 큰 창이 놓여 있어 밤이면 밖을 내다보는 풍경이 아주 좋았다. 꼭 미야자키 하야오의 만화영화 〈귀를 기울이면〉의 마지막 장면과 비슷한 분위기였다.

처음 그 집에 가봤을 때는 아직 북한산 칼바위 능선 쪽에는 눈이 채 녹지 않았을 때였다. 체육복만 입고 총총걸음으로 비닐봉지가 날리는 어두운 골목길을 줄달음질쳐서 문을 열고 들어가면 안경에 금방 입김이 서렸다. 그해 겨울, 그 집은 내가 아는 한 가장 따뜻한 집이었다. 안경에 입김이 서리는 것에도 아랑곳하지 않고 나는 그 집에 자주 찾아가 마루에서 북악 스카이웨이의 불빛들을 바라보며 술을 마시곤 했다. 그때 나는 군대를 막 마치고 서울에 올라온 터라 여러 모로 낯선 일들이 많았는데, 그 집 마루에 앉아 맞은편 북악 스카이웨이 불빛을 바라보며 그녀들이 하는 얘기를 듣고 있노라면 마음이 푸근했다.

그러니까, 사랑이 막 끝났을 즈음이었다. 한 사람을 향해서만 쏟아지던 감정이 갈 곳을 잃고 마음속에서 넘쳐나고 있었다. 채 처리하지 못한 감정이 넘쳐나게 되자, 자연스레 육체적인 활동은 정지됐다. 밥을 먹기 위해 숟가락을 드는 일도, 혹은 학교에 나가 수업을 듣는 일도 육체적으로 너무나 힘들어 할 수 없을 정도였다. 나는 하루종일 방안에 처박혀 꼼짝도 하지 않았다. 그런 까닭에 그 집을 찾아가는 일 역시 나로서는 대단한 노력을 기울여야만 했다.

그 집의 식구들은 모두 스물넷에서 서른두 살 사이의 사람들이었다. 인생의 정거장 같은 나이. 늘 누군가를 새로 만나고 또 떠나보내는 데 익숙해져야만 하는 나이. 옛 가족은 떠났으나 새 가족은 이루지 못한 나이. 그 누구와도 가족처럼 지낼 수 있으나 다음날이면 남남처럼 헤어질 수 있는 나이. 그래서인지 우리는 금방 오랫동안 알고 지내던 사이처럼 친해질 수 있었다.

그 집 마루에서 벌어지는 술자리에는 일종의 형제애나 자매애

같은 느낌이 있었다. 스카이웨이 너머로 해가 떨어진 뒤, 지친 몸
으로 직장에서 돌아온 그녀들은 화장을 지운 얼굴로 술상에 둘러
앉아 낮 동안 회사에서 있었던 일을 서로 얘기하기도 했고 한창
연애중인 여자의 얘기에 부러움 반, 질시 반의 자세로 귀를 기울
이기도 했다. 그러는 동안, 때로 언덕 아래에서 불어온 골바람에
마루 나무문이 덜컹거렸다. 그러는 동안 때로 화장실에 다녀오면
서 나는 눈물을 찔끔거리기도 했다.

　술자리는 늘 나지막하게 시작해서 큰소리로 부르는 합창으로
끝났다. 대개 이런 식이었다. 서서히 말이 끊기고 몇몇은 피곤하
다며 방으로 들어간다. 그러면 누군가 턴테이블을 켜고 음악을
튼다. 이런저런 음악이 흘러나온다. 그러다기 누군가 김광식의
노래를 듣자고 말한다. 다들 좋다고 한다. 그리고 김광석의 노래
가 흘러나온다. 예컨대 이런 노래. '그대를 생각하는 것만으로 그
대를 바라볼 수 있는 것만으로 그대의 음성을 듣는 것만으로도
기쁨을 느낄 수 있었던 그 날들' 같은 노래들.

　그러면 다들 처음에는 그 노래를 듣다가, 하나 둘 노래를 따라
부르다가, 그러다가는 이내 다들 큰 목소리로 노래를 부르는 것
이었다. 나는 안다. 내가 왜 김광석의 노래를 그토록 목청껏 부르
는지. 하지만 그들은 또 왜 그처럼 목청껏 부르는지 알 수 없었
다. 나름대로 짐작할 수는 있었지만, 내 짐작이 정확하게 맞는지
그건 지금도 알 도리가 없다. 어쨌든 술에 취하면 우리는 김광석

의 노래를 따라 불렀다.

내가 기억하는 청춘이란 그런 장면이다. 겨울에서 봄으로 넘어가는 애매한 계절이고, 창문 너머로는 북악 스카이웨이의 불빛들이 보이고 우리는 저마다 다른 이유로, 다른 일들을 생각하며, 하지만 함께 김광석의 노래를 합창한다. 잊어야 한다면 잊혀지면 좋겠어. 부질없는 아픔과 이별할 수 있도록. 잊어야 한다면 잊혀지면 좋겠어. 다시 돌아올 수 없는 그대를. 하지만 과연 잊을 수 있을까? 그래서 내 기억 속 그 정릉집의 모습은 거대한 물음표와 함께 남아 있다. 그건 아마도 청춘의 가장 위대한 물음표이지 싶다.

남들보다 1년 일찍 복학했기 때문에, 한편으로는 누구도 사랑하지 않았기 때문에 나의 대학 3학년 시절은 대단히 고요했다. 같은 과 여자친구들은 이미 졸업했으며 남자친구들은 아직 군대에서 돌아오지 않았거나 2학년이었기 때문이었다. 그 시절, 나는 도서관에서 1930년대 잡지 영인본만 들여다보고 있었다. 〈일일一日대경성大京城 유람기〉나 〈서울에서 쓰리 맞지 않는 법〉 따위의 기사들. 검은색 표지의 영인본을 잔뜩 쌓아놓고 검은색 밤이 찾아올 때까지 손가락으로 한 줄 한 줄 짚어가면서 읽어내렸다. 1930년대에도 나와 비슷한 인간들이 살고 있었다는 게 너무나 놀라웠다. 1930년대에도 나와 비슷한 고민을 했던 젊은이들이 있었다는 게.

본디 나는 내가 경험하는 세계의 바깥에 무엇이 있는지 잘 모르는 종류의 인간이다. 누군가를 사랑한다면 그건 내가 경험한 누군가를 사랑한다는 뜻이었다. 뭔가에 빠진다면 그건 내 안에 들어온 그 뭔가에 빠져든다는 뜻이었다. 그런 까닭에 나는 소통의 인간이 될 수 없었다. 전적으로 내 경험의 공간 안에서 모든 생활을 영위할 수 있었기 때문이었다. 사랑도, 증오도, 행복도, 슬픔도, 모두 내 세계 안쪽 창에 맺히는 물방울 같은 것이었다.

그러다가 제대하면서 나는 소통이 과연 어떤 것인지 여실하게 느낄 수 있게 됐다. 그러니까 한 여자애와 헤어지면서 그 어마어마했던 나만의 세계가 완전히 무너져내린 것이다. 나는 내 세계 안쪽 창에 맺힌 슬픔만으로는 부족했다. 비로소 나는 그 바깥의 슬픔에까지도 눈을 돌리게 됐다. 내게는 슬픔이 더 필요했던 것이다. 나는 신문을 보다가도, 연속극을 보다가도, 영화를 보다가도, 책을 읽다가도 눈물을 흘렸다. 중생들의 고통에 눈물을 흘리던 관음보살의 눈물이 어디서 비롯되는지 알 수 있었다. 그건 윤리 시간에 배웠듯이 측은해서가 아니라 관음보살 자신의 몸이 너무나 아프기 때문에 흘리는 눈물이었다. 마음에서 비롯한 게 아니라 몸에서 비롯한 눈물이었다.

그제야 나는 다른 사람들의 삶에 눈길을 돌릴 수 있었다. 고요하고도 적막하던 3학년 시절, 도서관에서 내가 들여다본 1930년대 잡지 영인본이란 바로 그런 뜻이었다. 나는 세상에 둘도 없는 유일무이한 존재라고 믿었는데, 그만 1930년대 잡지 영인본을 들여다보다가 세상에는 나와 같은 사람이 무수히 많았다는 걸 깨닫게 된 것이다. 그렇다면 진짜 나만의 것은 무엇일까? 그게, 문득 궁금해졌다. 나만의 것. 진짜 나만의 것.

그런 식으로 오후를 보낸 뒤, 도서관 유리문을 열고 나오던 어느 저녁이었다. 5월의 푸른 밤이 교정 위로 드리워졌다. 도시의 붉은 불빛에 검게 기대 선 저녁 산 이마 위로 별빛이 반짝였다. 유리문을 열자마자, 유리문을 열고 조금 걸어 나오자마자, 참으로 푸른 밤이구나는 생각을 하자마자, 내 귓전으로 노랫소리 크게 울려 퍼졌다. '잊어야 한다는 마음으로, 내 텅 빈 방문을 닫은 채로, 아직도 남아 있는 너의 향기, 내 텅 빈 방안에 가득한데' 이런 가사로 시작하는 노래였다.

저도 모르게 나는 그 노래가 들려오는 곳을 향해 걸어갔다. 노래는 계속됐다. '밤하늘에 빛나는 수많은 별들 저마다 아름답지만, 내 맘 속에 빛나는 별 하나 오직 너만 있을 뿐이야.' 무슨 일인지 학교 가운데 있던 금잔디 광장에 많은 학생들이 모여 있었다. '창틈에 기다리던 새벽이 오면 어제보다 커진 내 방안에 하얗게 밝아온 유리창에 썼다 지운다 널 사랑해.'

광장의 한가운데에는 키가 작은 사내 하나가 통기타를 메고 노래를 부르며 서 있었다. 그게 내가 처음이자 마지막으로 본 김광석이었다. 그날, 나는 김광석의 그 노래와 완벽하게 소통했다. 그 느낌은 죽어도 잊지 못할 느낌이다. 지금도 눈을 감으면 그 날, 유리문을 열자마자, 유리문을 열고 조금 걸어나오자마자, 참으로 푸른 밤이구나는 생각을 하자마자 내 귓전으로 들려오던 노랫소리 귀에 들리는 듯하다. 예술이란 결국 마음이 통하는 게 아니라 몸이 통하는 것이라는 걸 깨닫던 그때의 일들이 어제인 듯 또렷하다.

청춘은 들고양이처럼 재빨리 지나가고 그 그림자는 오래도록 영혼에 그늘을 드리운다. 김광석은 젊어서 죽고 2003년을 기점으로 나는 김광석이 살아보지 못한 나이를 살게 됐다. 정약용의 시 중에 다음과 같은 게 있다.

어느새 가을 멀리 가버렸으나
숲나무엔 가을 뜻 아직 남았네
적막한 바위 틈엔 물기 마르고
맑은 시내 어귀에 뗏목 깔렸다
나무꾼은 상수리 밤톨 줍고
스님은 우물에서 무를 씻네
석양빛 아직 아니 사라졌는데
등나무엔 초승달 벌써 올라와

倏然秋遠逝 木林有餘情 斷溜雲根靜 橫槎澗口淸
野樵收橡栗 僧井洗蕪菁 未了斜陽色 藤梢月已生

어느새 청춘은 멀리 가버렸으나 내 마음엔 여전히 그 뜻 남아 있는 듯, 지금도 나는 김광석의 노래를 들으면 몸이 아파온다. 석양빛 아직 아니 사라졌는데 등나무에 벌써 올라선 초승달처럼 그렇게 가버린 사람들이 너무나 많기 때문이다. 청춘은 그런 것이었다. 뜻하지 않게 찾아왔다가는 그 빛도 아직 사라지지 않았는데, 느닷없이 떠나버렸다.

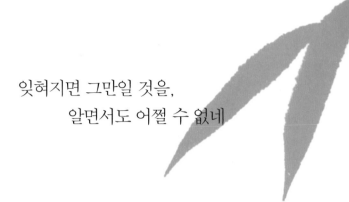

잊혀지면 그만일 것을,
알면서도 어쩔 수 없네

평균적인 한국 남자라면 다 알 테지만, 어쨌든 입영통지서를 받게 되면 삶은 애매해질 수밖에 없다. 도서관 건물을 지었다면 그 다음에는 책을 채워 넣어야만 하는 것과 마찬가지디. 왜냐하면 입영통지서의 가장 큰 기능은 거기에 있으니까. 예컨대 인간미라고는 조금도 찾아볼 수 없는 그 종이쪼가리에 돌아오는 12월쯤 입대하는 것으로 돼 있다면 그때까지는 어떤 계획도 세울 수 없다. 뭐, 총검술이라도 미리 연습한다면 좋은 계획이 될 듯도 하지만, 그런 인간이 있을 리 만무하다. 세상이 종말을 맞이하는 걸 지켜보는 심정이 어떤 것인지는 실연하면서 이미 알게 됐지만, 그게 또 얼마나 허무한 것인지는 입영통지서를 받아보고야 알게 됐다. 새 양말 한 짝도 살 수 없는 처지라니!

해서 군 입대를 앞둔 젊은이들에게서는 달관의 풍모가 느껴진다. 뭘 열심히 파고든다고 해도 입대하면 말짱 헛수고라는 걸 알기 때문에 무엇에도 열중하지 못한다. 입영통지서를 받는 순간, 그들은 민간인의 삶을 포기할 수밖에 없으나 입대하기 전까지는 군인이 될 수도 없는 몸이므로. 군복이라도 미리 택배로 받을 수 있다면 다림질이라도 해놓으련만. 내 개인적 경험으로 보자면, 그런 인간들. 그러니까 지금 자신의 삶에 대해서는 조금의 계획도 세울 수 없는 처지가 된 인간들이 열중할 수 있는 것은 세 가지뿐이다. 바로 음주와 연애와 여행이다. 매달 계좌에서 종신보험료가 자동으로 빠져나가는 샐러리맨들이 마음놓고 하지 못하는 세 가지이기도 하다.

내가 겪은 음주와 연애. 뭔가 '1천만원 공모 한국전쟁 체험수기집'의 제목 같은 비장함이 있으되, 이번에는 여행에 대해서만 말하기로 하자. 물론 많은 여행을 했지만, 그 중에서도 입영통지서를 받은 애매한 인간이나 할 수 있는 여행에 대해서만 쓰겠다. 여행이라고는 했지만, 사실 솔직히 말하자면 여행이 아니라 부랑자 생활이라고 할 수 있다. '비 앰비셔스'하려던 '보이' 시절에 《어깨동무》의 '만화로 배우는 고사성어'에 나온 '동가식서가숙東家食西家宿'이라는 걸 이해하지 못해 한참 헤맨 적이 있었는데(이 고사성어는 왜 여섯 자인가라는 의문 때문이었다. 그리고 물론 이게 내 마음에 남은 문장은 아니다), 바로 그 동가식서가숙을 뜻한다.

윤승운의 만화에 나오는 주인공은 갓이 부서진 거지꼴이나마

144

공짜로 밥 먹을 동쪽 집도, 잠잘 서쪽 집도 있었건만 현실의 내게
는 그런 집이 없었다. 그래서 최소한의 돈은 벌어야만 했기 때문
에 아르바이트 자리를 구했다. 내가 구한 아르바이트라는 건 일
문학과 대학생들이 날림으로 번역해놓은 일본만화『시티헌터』나
『도라에몽』따위를 받아서 우리말 표현으로 적당히 윤문하는 일
이었다. 어느 곳이나 선배는 있게 마련인데, 그 세계에도 선배가
있었다. 전공을 살릴 작정이었는지는 모르지만, 어느 대학 문예
창작과에 다니던 사람이었는데, 친구를 위해서 어쩌구저쩌구 하
는 만화『북두신권』의 그 유명한, 하지만 나는 전혀 알지 못했고
지금도 기억하지 못하는 카피를 자기가 지었다며 내게도 그런 멋
진 문장을 만들면 전국의 만화방 앞에 내 글이 걸릴 것이라고 나
를 독려했다.

하지만 새 양말 하나도 살 수 없는 처지가 된 내게 그런 야망
따위가 잠재해 있을 리가 없었다. 전국 만화방에 멋진 문장이 담
긴 포스터를 걸고야 말겠노라는 야망도, 그런 재능도 없었던 나
는 새로운 등장인물이 나올 때마다 떠오르는 대로 친구의 이름으
로 바꿔놓는 식으로 윤문의 세계에 뛰어들었다. 당시 일본만화가
불법으로 소개되면서 발생한 사회문제에 나 혼자만으로도 모자
라 친구들까지 동원해 일조한 것이다. 한 권을 윤문하면 2만원을
받을 수 있었다. 한 시간이면 한 권을 윤문할 수 있었기 때문에
싼 금액은 아니었다.

그런 식으로 '김연수, 21세, 주거부정'의 신분이 되어 가방 안에는 일본만화책을 복사한 원고를 넣은 채 대학로 일대를 한동안 헤매고 다녔다. 그 당시 대학로 주변에서 한창 복음을 전파하고 다녔던 어느 아줌마와는 기독교 교리의 모순점과 하나님의 질투심에 대해 토론하다가 "예전에도 우리가 이렇게 싸우지 않았습니까?" "그러고 보니 옛날에 학생하고 얘기한 적이 있는 것 같네" 등의 한심한 대화를 나누고서는 아주 깔끔하게 헤어진 적도 있었다. 돈이 없는 날에는 곧잘 다니던 명상센터에서도 잤고 서울대학교 부속병원 응급실 한쪽에서도 잤고 친구 집에서도 잤다. 윤문 원고를 전해주고 돈을 받은 날에는 혜화동에서 삼선교로 넘어가는 길 오른편에 있었던, 밤새 몇 가지 동작만을 반복적으로 보여주는 비디오를 틀어주는 여관에 기어들어가 입대하는 꿈을 꾸면서 잠들었다.

그렇다면 돈이 애매하게 있을 때는? 그럴 때 가던 곳이 영화 〈장밋빛 인생〉에 나올 듯한 학교 앞 만화방이었다. 2천원을 내면 밤새도록 만화를 볼 수 있어 밤을 보내기에는 더없이 좋았다. 지금이라면 단연코 찜질방이나 PC방에 가겠지만, 당시에는 나처럼 애매한 청춘이 밤을 보낼 만한 곳이 많지 않았다. 아마도 그때가 만화방의 전성시대였던 것 같다. 그래서 내게도 일본만화 윤문이라는 일자리가 돌아왔겠지만. 당시만 해도 한쪽에서 만화를 보고 있노라면 친구가 나를 찾기도 어려울 정도로 만화방은 광활했다.

만화가별로 꽂혀 있는 만화를 들여다보고 있노라면 셰익스피어 전집이나 『여유당전서』는 독파할지언정 황제나 박봉성의 전작을 읽는다는 것은 불가능에 가까운 것처럼 보였다.

그곳에서 만화를 보다가 지겨우면 『도라에몽』을 꺼내 일했다. 초등학생 시절, 나는 『동짜몽』에 미쳐 있었는데 그게 다 나중에 윤문을 하려고 그랬던 모양이었다, 라는 뿌듯한 생각은 전혀 들지 않았다. 대신에 일주일치 용돈을 받아 서점으로 달려가 새로 나온 『동짜몽』 만화책을 사는 세계가 얼마나 천국에 가까운 것인지에 대한 깨달음만 들 뿐이었다. 어느 날 새벽도 그렇게 지나간 천국의 한때를 그리워하며 한참 일하고 있을 때였다. 그 만화방의 주인은 일흔 살에 가까운 할아버지였는데, 다른 손님에게 라면을 갖다 주고 돌아가다가 『도라에몽』의 풍선마크 속의 대사를 고치는 나를 발견했다.

"이게 뭡니까? 만화가 선생님입니까?"

나는 깜짝 놀라서 할아버지를 올려봤다.

"아, 저는 만화가가 아니고요, 일본만화를 윤문하고 있는 중입니다."

하지만 당연히 그 할아버지는 '윤문'이라는 단어를 이해하지 못했다. 만화가는 아니지만, 그보다 더 어려운 뭔가를 하는 사람으로 나를 착각했다. 끝이 뭉툭해진 지우개로 도라에몽의 대사를 박박 문질러 지우고 친구 이름 따위를 써놓고 있었으니 심의위원이라고 생각했을지도 모른다. 갈 곳이 없어 새벽 만화가게로 기어 들어온 일본만화 심의위원? 생각하니 웃기는 얘기였다. 어쨌든 그 뒤로 할아버지는 존경에 가득 찬 눈초리로 나를 바라봤다. 예컨대 음반가게에 가수 비슷한 사람이, 서점에 작가 비슷한 사람이 들어온 셈이었으니까.

그러던 어느 날이었다. 또 돈이 애매하게 남아 그 만화방에서 잠자고 있는데, 동대문경찰서에서 만화방을 급습했다. 원래 심야 영업하는 만화방이란 자연스레 나 같은 얼치기 부랑자, 부랑자가 되기 직전의 사회부적응자, 한때는 부랑자였던 범죄자 등이 꼬이는 곳이니, 한동안 기소중지자를 보지 못하면 그 그리움을 견뎌내지 못하는 경찰들이 만화방을 습격하는 일은 흔했다. 그날의 급습은 운동권 학생들을 색출해내려는 목적을 가지고 있었다. 자는데 누군가 깨워 눈을 떠보니 형사였다. 자다가 눈을 떠보니 형사가 있었다, 라는 문장은 생에 몇 번 쓸 수 있는 문장이 아니다. 대개의 형사들은 얼굴 생김새가 제복과 다름없어 사복을 입고 다니는 모양이었다. 분위기가 아주 험악했다. 신분증을 보여달라고 해서 '공손하게 보여드린 뒤' 멍하니 앉아 있으려니 신분증 제출을 거부했다기보다는 지참하지 않았던 몇몇 학생들이 잡혀가고 있었다. 운동권 학생들에게는 만화를 즐길 권리마저도 없단 말인가! 누구나 그런 일을 당하면 마찬가지겠지만, 마음으로야 부당한 공권력을 골백 번도 더 규탄하지만 겉으로는 내색하지 못한다.

기왕 잠은 다 깨버렸으니까 신발을 신고 물 마시는 척하면서 동태를 살피려고 계산대 쪽으로 슬금슬금 다가가니 형사들이 주인 할아버지에게 일장훈시를 퍼붓고 있었다. 누가 밤새도록 영업하라고 했느냐, 뭐 이런 식이었다. 주인 할아버지를 윽박질러서 몇 년이 걸리더라도 박봉성의 만화를 공짜로 독파하고야 말겠다는 속셈이 아닐까는 생각이 들 정도로 소리가 요란했다. 만화방의 규모에 비해 기소중지자의 숫자가 턱없이 부족했던 것인지도 모른다. 그런저런 상념이 내 머리 위 풍선마크 속을 떠다니던 바로 그 순간, 그 할아버지가 기어들어가는 목소리로 이렇게 말했다.

"저는 아르바이트입니다."

나는 마시던 물을 다시 뱉을 뻔했다. 말문이 막히기는 형사들도 마찬가지였다.

"뭐라고……요?"

할아버지는 주위를 둘러보더니 수치심을 참을 수 없다는 듯이 뇌까렸다.

"저는 밤 10시부터 새벽 6시까지만 일하는 아르바이트라구요."

당황한 형사들은 우왕좌왕하기 시작했다. 아르바이트라고 해서 책임을 면할 수 있는 것은 아니라는 둥, 당신 우리한테 거짓말하면 어떻게 되는지 아느냐는 둥, 형사들이 할 수 있는 최대한 상투적인 문장을 되는 대로 지껄이기 시작하더니 별다른 소득도 없는 만화방 습격사건을 끝내고 철수하기 시작했다.

형사들이 떠나간 뒤, 나는 한동안 멍했다. 내가 만화가 그 비슷한 것도 아니듯 그 할아버지도 주인이 아니었던 것이다. 파도가 해변으로 한 번 몰려들었다가는 이내 사라지고 폐곡선의 모양으로 물기가 모래사장으로 스며드는 그 모양을 바라보는 듯한 심정이 들었다. 딱히 슬픔이라고도 말할 수 없는, 슬픔의 남은 껍질 같은 것들이 나를 감쌌다. 왜 그랬을까? 내 나이 스물한 살에 만화방에서 밤을 지새며 불법복제한 일본만화를 윤문하다가 잠들어서는 기소중지자를 사냥하고 다니는 형사에게 신분증을 제출하기 위해 잠을 설치는 따위의 일은 하고 싶지 않았다. 하지만 삶이란 내가 원한다고 마음대로 되는 것이 아니었다. 그 할아버지도 나와 마찬가지였을까? 나는 입영통지서를 받았다지만, 그 할아버지는 뭘 받았던 것일까? 삶은 마치 박봉성의 전작과 같았다. 아무리 이해하려고 해도 내가 삶을 모두 이해할 수 있는 날은 없을 것 같았다.

술에 취한 듯 깬 듯해서 토박이들 집을 찾아갔다
찌를 듯한 대나무와 등나무 끝이 걸음을 흐려놓는구나
다만 소똥을 보고서 돌아갈 길을 찾는데
집은 외양간 서쪽에서 또다시 서쪽에 있구나

半醒半醉問諸黎 竹刺藤梢步步迷

但尋牛矢覓歸路 家在牛欄西復西

소식蘇軾,「술 마시고 홀로 걸어 자운, 위, 휘, 선각 네 친구의 집에 이르다」

내게는 집을 찾아갈 소똥도 보이지 않았던 그 시절, 엄청나게 들었던 음반이 바로 여행스케치 2집이었다. '세월이 흘러가고 먼 훗날, 우리의 모습은 얼마나 많이 변해 있을까 지금은 함께 있지만' 이라든가 '잊혀지면 그만인 것을 알면서도 어쩔 수 없어 세월 가면 잊혀지려나 하지만 그건 쉽지 않을 텐데' 같은 노래들. 여전히 삶이란 내게 정답표가 뜯겨나간 문제집과 비슷하다. 이떤 것인지 짐작할 수는 있지만, 그게 정말 맞는 것인지 확인할 방법이 없다.

제발 이러지 말고 잘 살아보자

보통의 남자들이 들으면 나를 향해 비웃음을 던질 테지만, 내 생애를 통틀어 가장 절망적인 시간은 방위병으로 근무하던 시절이었다(아직 방위병 생활의 진수는 보여주지 않았으니 비웃음은 아껴두시길). 보충역 판정을 받을 때만 해도 '이젠 살았구나' 이런 생각이 들었는데 막상 훈련소에 들어가 군사교육을 받아보니 이건 학교 다닐 때 친구들과 함께 떠나는 수련회 따위와는 비교도 안될 정도로 힘들었다. 훈련소에서 그나마 인간미를 찾을 수 있는 곳이 있다면 PX뿐이었지만, 신병들에게는 일과시간에 바라보는 관물대의 담요와 같은 것이었다.

지금은 생각이 많이 달라져 가끔은 40킬로미터도 넘게 달리는 사람이 됐지만, 어릴 때만 해도 나는 땀 빼는 게 싫어서 체육시간에 축구를 할라치면 골키퍼만 보던 사람이었다. 내가 전혜린에게 푹 빠진 까닭은 뚱뚱한 사람을 보고 얼마나 게을렀기에 그렇게 살이 찔 수 있을까고 의아해하던 그 타고난 기질이 나와 너무나 비슷했기 때문이었으니까. 그런 주제에 훈련소에서 조교들의 명령에 따라 이리 갔다가 저리 갔다가 하다 보니까 도대체 나 같은 사람까지 꼭 군대에 와야만 하는가는, 대단히 실존적인 것처럼 보이지만 실상은 대단히 이기적인 의문이 들었다. 아무리 생각해도 나라를 지킬 정도의 남자라면 근육도 발달하고 키도 커야만 할 것 같은데, 내 타고난 기질로는 불가능해보였다. 하지만 어디를 보나 그렇다고 대대장에게 면담을 신청해 그 놀라운 결론을 알릴 만한 입장이 아니었다.

그리하여 나는 그 4주간의 훈련을 통해 250미터 떨어진 과녁에 스무 발의 총알을 모두 명중시킬 수 있는 인간 병기로 바뀌어갔다, 라고 한다면 보통의 남자라고 생각하는 자들이 더이상 던질 비웃음이 모자라 괴로워할 것이고 그저 세상 일이 내 뜻대로만 되는 것은 아니라는 사실을 뼈저리게 깨달았다(정말 뼈저리게. 왜 가야만 하는지도 모르고 훈련소에 가보면 이게 무슨 뜻인지 알 것이다). 삶이 입 속의 혀 같은 것이라면 내 마음대로 이리저리 돌려도 보고 힘들긴 해도 뒤집어보기도 할 텐데, 세상일이 그렇지는 않더라. 그제야 진심으로, 온몸으로, 전면적으로, 총체적으로 겁이 났다. 개구리 마크가 달린 모자를 하늘로 내던지며 제 발로 위병소를 걸어나가지 않는 한, 이제 내가 빠져나갈 구멍은 하나도 없다는 사실이 분명해졌다.

요즘에는 나도 육군사관학교에 들어갔으면 좋았을 텐데, 이런 생각을 한다. 농담 아니다. 초등학교 6학년 적성검사 때 내게 어울리는 직업으로 군인이 나온 적도 있었다. 물론 그와 함께 의사, 예술가도 나와서 순 꽝이라고 생각하긴 했지만. 그러므로 지금 같으면 '기왕 이렇게 된 것 열심히 적장비인원식별이나 마스터하자'고 생각했겠지만, 이십대 초반의 사고체계에는 긍정적인 회로란 없었다. 예컨대 그 회로에 '학점을 잘 받으면 장학금을 받을 수도 있다' 이런 긍정적인 문장이 입력되면 곧바로 '웃기고 자빠졌네'라는 응답과 함께 회로가 먹통이 된다.

내가 배치받은 부대는 전쟁이 터지면 울진 지역으로 상륙해 지리산을 최종 목적지로 태백산맥을 타고 내려오는 북한군 특수부대를 담배 한 대 피울 정도의 시간만큼만 저지시킨 뒤, 예비군들에게 인계하는 것을 목표로 했다. 담배 한 대 피울 시간이라고는 하지만 방위병 주제에 북한군 특수부대를 막는다는 것도 웃겼던 데다가 기껏 저지시킨 북한군 특수부대를 훈련이라고 와서는 '밥 가져오라, 라면 사오라' 떠들어대기 일쑤인 예비군들에게 인계한다는 것도 말이 되지 않았다. 십중팔구 인계하는 과정에서 예비군들과 두번째 전투를 치를 가능성이 농후했다.

하지만 내가 말이 되지 않는다고 생각한대도 작전 계획이 방위 이등병의 견해까지 참조해가면서 만들어지는 것이 아닌 이상 그대로 따르는 수밖에 없었다. 방위병 주제에, 태백산맥이 무슨 경부고속도로라도 되는 양 쏜살같이 내려오다가도 수색에 나서면

멀쩡한 무덤을 파고 들어가 관 위에서 잠을 잔다는 북한군 특수부대를 가상의 적으로 설정하고 훈련해야만 하니 그게 보통 피곤한 일이 아니었다. 일단 출근하면 교육받고 기합받느라 패잔병 꼴이 된 뒤에야 귀가를 시켜주니 수송버스에서 내리면 창피하기 이를 데가 없었다. 아무리 전쟁이라지만, 특수부대는 특수부대끼리, 방위부대는 방위부대끼리 싸워야 옳은 게 아닌가? 북한에는 우리와 상대할 방위부대가 없단 말인가? 그렇게 국방에 대해 걱정하던 끝에 아직 남은 날을 계산하노라면 눈앞이 캄캄했다.

그 즈음 나는 조울증에 시달렸다. 아주 사소한 일에 희망과 절망을 번갈아 오르내렸다. 깔깔거리고 웃다가도 잠깐 돌아보면 온갖 인상을 찌푸리고 앉아 손톱만 물어뜯는 식이었다. 어설프게 관심을 보여주는 사람이라도 있으면 그를 향해 내 모든 것을 던져버리겠다는 식으로 매달렸고 내 예민한 신경을 건드리는 사람에게는 마음속으로 죽여버리겠다는 욕설을 퍼부었다. 주인에게 버림받은 강아지의 행태와 비슷했다. 나를 방위부대에 버려두고 도망간 주인은 과연 누구였을까? 젊음이었을까, 삶이었을까? 아무도 나를 알아보지 못하는 고장으로 여행을 떠났으면, 밤새 술을 마시고 하루종일 잠에서 깨어나지 않았으면 등등이 그 당시 내 소박한 소원이었다. 하지만 삶은, 젊음은 그 정도도 내게 해주지 않았다. 사단본부에서 내려오는 훈령보다도 못한 게 삶이었고 젊음이었다.

그러던 어느 날이었다. 아침에 부대로 출근하면 점호하기 전에 군대식으로 지어진 화장실을 청소하는 게 첫번째 일이었다. '군대식'이라는 것은 '병사들이 자체적으로 지은'이란 뜻이다. 같은 곳을 지칭하는 단어이긴 해도 호텔 화장실 따위와 비교할 수는 없지만, 매일 청소하다보면 그래도 참지 못할 정도로 나쁘지는 않다. 게다가 본부중대에서 근무하는 병사들이 여러 가지 장식품으로 꾸며놓아 언뜻 보기에는 그럴듯해 보였다. 사실 '군대식'이라는 게 다 언뜻 보기에는 그럴듯한 것들이다. 어쨌든 그렇게 꾸며놓은 것 중에 '이 주의 금언'이라는 게 있었다. 비닐을 붙인 합판 안에다가 매주 이런저런 금언을 바꿔 붙였다. 예컨대 '겉으로 보기에 연약해 보이는 모든 것이 바로 힘이다 ―파스칼' 같은 글을 차트 글씨로 써 붙여놓는 식이었다. 아침에 청소할 때마다 그런 글귀를 마음속 깊이 새기고 바닥에 떨어진 담배꽁초가 아니라 교훈을 찾고자 했다면 조울증도 치료됐겠지만, 말했다시피 애당초 내게는 긍정적인 회로가 작동불가능했던 데다가 그런 금언을 붙이겠다고 제일 처음 마음먹었던 사람도 아마 사병들이야 어떻게 되든 검열관의 눈에 쏙 들기만을 바랐을 것이다.

그날도 잠에서 덜 깬 멍청한 표정을 하고 화장실로 갔다. 집게로 창가 재떨이와 소변기에 떨어진 담배꽁초를 줍다가 '이 주의 금언'을 언뜻 봤다. 계속 청소하다가 뭔가 이상해서 다시 봤다. 『논어』의 한 구절이었다.

즐거워하되 음란하지 말며 슬프되 상심에 이러지 말자

樂而不淫 哀而不傷

오줌이 묻은 양철 집게를 들고 서서 나는 웃었다. 한참 동안 웃었다. 웃음을 그치고 담배꽁초를 줍는데 다시 배시시 웃음이 터져났다. '이러지 말자'가 아니라 '이르지 말자'라고 해야 옳았기 때문이었다. 자꾸만 내 머릿속으로는 공자님이 이른 아침 왜 가야만 하는지도 모르고 가야만 하는 부대 화장실에서 집게로 담배꽁초를 줍는 내 소매를 붙잡고 '김 일병, 이러지 말자. 우리 아무리 슬프되 상심에 이러지 말자'라고 애원하는 광경이 떠올랐다. 알겠습니다, 공자님. 잘 알겠습니다.

보통의 남자들이 들으면 나를 향해 더이상 던질 비웃음이 없어 안타까워하겠지만, 방위병 생활을 하면서 나는 참 많은 걸 배웠다. 안전장치를 풀고 방아쇠를 당기면 현역병이든 방위병이든, 심지어는 예비군이든 총알을 쏠 수 있다는 무서운 사실을 그때 처음 배웠다. 삶이 내 뜻대로 되지 않는다는 것도 덤으로 배웠다. 하지만 그 무엇도 잘못 쓴 그 금언만큼 큰 깨달음을 주지는 않았다. 삶의 길은 올라갔다가 내려오기도 하고 내려갔다가 다시 올라가기도 한다. 하지만 그 어떤 경우라도 상심에 이러면 안된다. 슬프되 상심에 이러지 말자. 잘 살아보자.

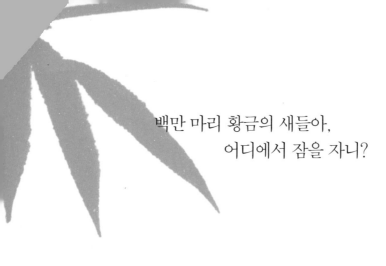

백만 마리 황금의 새들아,
어디에서 잠을 자니?

이어지는 방위병 시절의 얘기. 경비대대에 배치받은 뒤 다른 이병들과 함께 두 손을 무릎에 올리고 부동자세로 식당에 앉아 있는데 한 사람이 다가왔다. 자대에 배치받은 이병들 주변의 인간군을 분류하자면, 조금 고참으로 보이는 사람들과 고참임이 분명해 보이는 사람들과 상당히 고참처럼 보이는 사람들과 어마어마한 고참처럼 보이는 사람들 등이 있는데, 그 사람은 상당히 고참처럼 보이는 쪽에 속했다.

그 사람은 이병들에게 잘하는 게 있으면 한 가지씩 말해보라고 했다. 마치 적성에 따라 특기 분야로 보내줄 것처럼. "대형 면허가 있습니다"라든가 "사회에서 주방장으로 일했습니다" 같은 대답들. 나는? 나는 "이병 김연수! 글을 잘 씁니다"라고 말했다. 상당히 고참처럼 보이는 그 사람은 상당히 고개를 갸우뚱거리더니 "차트 글씨 같은 거 말이냐?"라고 되물었다. 그때, 나는 단숨에 군대라는 곳에는 나 같은 부류가 얼쩡거려서는 안되는 곳이라는

걸 깨달았다기보다는 금방 "이병 김연수! 예, 그렇습니다!"라고
대답했다.

하지만 그 사람은 상당히 고참처럼 보일 뿐, 상당한 고참은 아
니었다. 할 수 있는 일이라고는 한없이 긁적이는 일뿐이었는데도
나는 기동타격대라는 곳에 가게 됐다. 어지간히 기동도 못하는
데다가 타격이라고는 당해보기만 했지, 해본 적은 없었기 때문에
잔뜩 주눅이 들었는데, 막상 가보니 매일 삽질만 할 뿐이었다. 집
의 삽을 지참하고 출근해 수송버스를 타고 기동해서는 야산을 타
격하는 게 우리의 임무였다. 삽질이라면 흙 속에 힘차게 삽을 박
아 넣은 뒤 삽날에 고인 흙을 떠내는 것이 아니겠는가마는, 겪어
보니 기동타격대의 삽질은 그보다 훨씬 더 심오한 작업이었다.

그러다가 삽질 하나 제대로 못하는 녀석이 신병으로 왔다고 해
서 조금 고참으로 보이는 사람들과 고참임에 분명해 보이는 사람
들과 상당히 고참처럼 보이는 사람들에게 연일 구박을 받던 내게
드디어 특기를 살릴 수 있는 기회가 왔다. 부대 내에서 학력이 가
장 좋다는 이유로 대대장 관사당번으로 차출된 것이다. 자신이
한 말을 5초 뒤면 망각하는, 그의 업무상 반드시 필요한 주특기를
여지없이 지닌 인사계는, 출퇴근하면서 대대장 아들 공부나 가르
치면 되는 일이니, 나더러 "넌, 껌 주운 거야"라고 말했다. 그 부
대에서는 길에 흘린 껌이 세상에서 제일 귀한 것인지 좋은 일이
생기면 항상 '껌 주웠다'고 표현했다.

부푼 가슴으로 대대장실에 들어갔더니 첫 질문은 역시 "어느 대학교를 다니다가 왔느냐"였다. 말하자면 S대. 그런데 그 다음 질문이 영 수상했다. "자취는 해봤느냐?" 물론 나는 "이병 김연수! 예, 그렇습니다!"일 뿐이었다. 대대장 앞에 선 이병이 할 수 있는 말은 그것뿐이니까. 질문은 계속됐다. "밥은 잘하느냐?" "국은 잘 끓이느냐?" "청소는 잘하냐?" 어마어마하게 고참처럼 보이는 사람 앞에서는 어마어마하게 크고 자신감 넘치는 목소리로 무조건 "예, 그렇습니다!"라고 외쳐야만 한다고 배웠으니 대답은 일사천리였다. 그러자 대대장이 말했다. "그럼, 지금 당장 관사로 내려가." 때는 바야흐로 혹한기 훈련을 앞두고 맨땅도 아니고 얼어붙은 땅에 삽질을 하던 시절이었다. 어찌됐건 이미 내 마음은 봄을 맞이한 듯했다.

공병대가 날림으로 지어놓은 관사에는 대대장의 아들은커녕 '앉아, 일어서'를 가르칠 삽살개 한 마리도 없었다. 내가 주운 게 껌이 아닐 수도 있다는 불길한 예감이 온몸을 감싸기 시작했다. 나는 혼자서 한참 관사에 앉아 있다가 근무시간이 끝났기 때문에 버스를 타고 세 정류장 정도 가다가 아무런 보고도 없이 집에 가는 일이 영 불안해 버스에서 내렸다. 관사로 돌아가 허물어지는 벽을 간신히 붙들고 선 심정으로 다시 앉아 있으려니까 대대장이 내려왔다. 그리고 그날부터 나는 대대장 관사에서 밥을 짓고 청소를 하기 시작했다. 인사계를 비롯해 모든 부대원들은 그런 나를 '밥 따까리'라고 부르기 시작했다. 밥이란 남이 해줄 때 의의가 있는 법이라고 생각했던 내게 그건 엄청난 고통이었다. 하지만 나보다 더 큰 고통을 받은 사람은 그 대대장이었다. 대대장은 그 괴로움을 인사계의 정강이에다 풀었고 인사계는 그 아픔을 내 뺨에다가 토로했다. 뺨이 얼얼하기는 했어도 그들의 심정만은 이해하지 못할 바가 아니었다.

그 시절, 나는 창의적인 요리를 많이 만들었다. 봄이 돼 냉잇국이 먹고 싶다는 대대장의 소원을 즉각 수리해 시장에서 냉이를 사와 국을 끓였더니 전라도 출신의 대대장이 아연실색한 얼굴로 소위 냉이라는 것을 젓가락으로 집더니 "니네 동네에서는 상추로도 국을 끓여 먹냐?"고 반문하기도 했으며 밑반찬을 만들어야 하기에 콩나물을 대량으로 무쳐서 조금씩 내놓았더니 대대장은 한 번 씹어보기도 전에 인상을 구기면서 "너는 콩나물을 생으로도 먹냐?"며 탄식을 금치 못했다. 그냥 경상도 지방의 특색이라고 여기면 좋으련만, 그럴 리 만무.

그 창의적인 요리들에 화답하듯 대대장도 상당히 창의적인 말씀을 많이 하셨다. 마누라와 바람이 난 당번병을 그 자리에서 권총으로 사살한 중대장 얘기나 빨래를 제대로 하지 못한다는 이유로 당번병을 남한산성에 보내버린 대대장 얘기 같은 것들. 지금은 비실비실 웃음이 나오지만, 그때만 해도 대대장이 그런 말씀을 하실 때면 생명의 위협이 느껴져 온몸이 오싹했다. 무슨 조직

사건에 연루돼 그런 것도 아니고, 상춧국 때문에 즉결처분되거나 생 콩나물 무침을 만들었다고 남한산성 같은 곳에 끌려가고 싶지는 않았던 것이다. 역시 사람은 특기에 따라 살아야만 한다는 교훈을 얻을 수밖에 없었다.

한번은 치과에서 사랑니를 빼고 관사로 돌아온 적이 있었다. 나를 부엌 한쪽에 앉혀두고 혼자서만 술을 마시던 대대장이 그날따라 날더러 가까이 오라고 했다. "이병 김연수. 예, 알겠습니다." 우여곡절은 있었지만, 그래도 서로 인간적인 친밀감은 들었으니까 대대장도 내게 술 한 잔 정도는 따라주고 싶었던 모양이다. 대대장은 내게 군납용 캔맥주를 건넸다. 그 캔맥주를 바라보며 내가 고래고래 소리를 질렀다. "오늘 낮에 치과에서 이를 뽑았는데, 의사가 당분간 술을 마시지 말라고 했습니다." 대대장의 동공이 순식간에 확장되면서 아득해지기 시작했다. 뭐라고 설명하기 곤란한 그 표정은 여태 잊히지 않는다. 요즘도 그런 표정을 짓는 사람을 만나면 가슴이 덜컥 내려앉는다. 아, 내가 또 뭘 모르고 큰 실수를 저질렀구나.

밤에 관사에서 부대로 넘어와 현역병들과 함께 잠을 자노라면 별의별 생각이 다 들었다. 다들 침낭 속에 들어가 잠을 잤는데, 병장 녀석 하나가 새로 온 신병을 자신의 침낭 속으로 끌어들이려고 갖은 애를 다 쓰고 있었다. 앞으로, 뒤로, 옆으로, 병장 녀석은 죽부인이라도 되는 양 신병을 이리저리 돌리며 몇 번 시도하더니 결국 뜻을 이루고 침낭 속으로 들어갔다. 그 좁은 침낭 안에서 병장의 품에 안긴 신병은 멍하니 어둠 속에서 명멸하는 텔레비전 화면만 바라봤다. 처음에 상병 하나가 "거, 둘이 들어가면 침낭 찢어집니다"라고 말한 것을 빼고는 누구도 그 병장을 제지하지 않았다. 나는 침낭에 웅크리고 누워 그 신병을 생각했다. 그리고 나를 생각했다. 왠지 눈물이 나올 것만 같았다. 우리는 애당초 만나지 말았어야 할 사람들이었다. 이뤄질 수 없는 사랑을 한 것도 아니었는데, 그런 생각이 들었다.

그 당시, 관사에서 대대장이 오기만을 기다리며, 아니, 실은 영영 내려오지 않기만을 고대하며 읽던 책 중에 『공산주의 7대 비밀』이라는 게 있었다. 군대에서 정훈 자료로 돌려보는 두꺼운 책이었는데, 우리 출판 역사상 그처럼 조잡한 내용의 책은 없을 것이다. 그 책에는 '공산주의는 폭력 노선이다' 따위의 하나마나한 비밀들이 까발려져 있었던 것으로 기억된다. 그런 비밀 중의 하나가 '공산주의는 이중 언어를 사용한다'라는 문장이었다. 예컨대 공산주의에서 말하는 '민주'란 '독재'를, '평화'란 '폭력'을 의미한다는 식이었다. 나는 그 문장을 한참 들여다봤다. 그 시절, 우리의 '청춘'은 무엇을 의미하고 있었을까? '슬픔'이었을까? '절망'이었을까?

밤에 관사에서 부대로 넘어가려면 헬기장을 넘어서야만 했다. 그 헬기장을 지날 때면 나는 늘 걸음을 멈추고 하늘을 올려다봤다. 오리온, 카시오페아, 큰곰자리 같은 별자리들. 그 별자리들은 무슨 힘으로 하늘에 매달려 있는 것일까? 우리는 어떤 힘으로 살아가는 것일까? 나는 왜 거기 있지 않고 여기 있는 것일까? 나는 왜 네가 아니고 나인 것일까? 하늘을 올려다볼 때면 나는 늘 랭보의 「취한 배」라는 시를 떠올린다.

나는 보았다, 하늘에 뿌려진 별들의 군도群島를.
그리고 환희에 찬 하늘이 나그네들에게 보여주는 그 섬들을.
백만 마리 황금의 새들아, 아 미래의 힘이여,
이 밑 없는 밤 어디에서 잠을 자며 숨어 있는가?

그러나, 정말 나는 너무 슬펐다. 새벽마다 가슴은 찢어지고,
달빛은 잔인하고 햇빛은 가혹하여,
쓰디쓴 사랑이 무감각한 도취로 가슴을 부풀게 하였다.
아 용골龍骨이여 부서져라, 아 이 몸이여 바다에 떨어져라.

때로 취하지 않고서는 견딜 수가 없는 것. 그게 바로 젊음이라는 것이었다. 하지만 인생이란 취하고 또 취해 자고 일어났는데도 아직 해가 지지 않는 여름날 같은 것. 꿈꾸다 깨어나면 또 여기, 한 발자국도 벗어날 수 없는 곳. 군대에서 깨달은 '삶의 유일무이한 1대 비밀'은 그런 것이었다. 그걸 알았더라면 기동도 잘하

고 타격도 열심히 했을 텐데. 소독약 냄새를 느끼며 캔맥주도 벌컥벌컥 들이켜고 죽부인이 그리운 병장에게 "거, 꼴이 상당히 우습기만 합니다"라고도 말했을 텐데. 하지만 여전히 나는 깨어나봐야 날이 저물지 않았음을 알고는 꿈만 꾸고 있는 게 아닌가? 어쨌거나 미안한 사람은 그 대대장. 언제 한 번 만나서 제대로 된 저녁상을 한 번 차려주고 싶은 마음이 굴뚝까지는 아니더라도 가게 문 밖으로 삐져나온 연통 같기는 하다.

알지 못해라, 쇠줄을 끌러줄 사람 누구인가

지금은 아파트가 빽빽하게 들어섰지만 군복무를 마치고 다시 서울로 올라왔을 때만 해도 정릉초등학교 앞은 전형적인 달동네 지역이었다. 봉우리 하나에 몇만 명이 산다고 했으니 선거철만 되면 후보자들이 좁은 골목길을 돌아다니느라 꽤나 다리품을 팔아야 했던 곳이다. 나를 매혹시켰던 풍경은 원래 그 동네에 살았던 선배 시인의 방에서 거의 같은 눈높이로 바라볼 수 있는 북악 스카이웨이의 밤 풍경이었으나 불행히도 내가 계약한 단칸방은 산 너머에 있어서 책받침만한 창으로는 고작 개척교회의 붉은 십자가와 쓰러져가는 집들밖에 보이지 않았다.

마을버스가 다니는 길을 따라 길게 대충 엮어서 만든 집이었지만, 알고 보면 2층집이었다. 구청에서 마련해놓은, 원래 파란색이었음을 짐작하게 하는 공동화장실이 있는 공터로 내려가면 내가 사는 집 아래로 토굴처럼 또 다른 집이 있음을 알 수 있었다. 빛이 들지 않는 그 집에는 이제 누구도 살지 않았다. 부서진 문을 밀고 들어가니 옷가지며 찌그러진 냄비 따위가 어두운 방안에 널브러져 있었다. 귀신이 나온다고 해도 믿지 않을 수 없었지만, 막상 귀신을 만난다면 위로의 말을 전해주고 싶을 정도였다. 그렇게 나는 마을버스가 다니는 길에서 본다면 1층이고 공동화장실이 있는 공터에서 본다면 2층인 방에서 살게 됐다.

나와 마찬가지로 그 골목에 잇따른 집에 살던, 그러나 그 골목의 기준으로 보자면 호화판 주택에 가까운 집에 살던 집주인은 계약하러 복덕방을 찾은 나를 보자마자 한심하다는 듯한 표정을 지었다. 그때만 해도 나는 아직 머리칼도 채 자라지 않은 복학생이었다. 펑퍼짐한 몸매가 영 달동네와 어울리지 않던 집주인은 복덕방 중늙은이의 부러움 섞인 눈초리를 잔뜩 의식하면서 주말에 갤로퍼를 끌고 사냥 다녀온 얘기에 빠져 있었다. 주말이면 사냥도 할 수 있는 그런 사람이 도대체 왜 그런 달동네에 사는 것인지 나는 도무지 이해할 수 없어 그저 눈만 껌벅거리고 있었다. 내 존재 따위는 무시하고 얘기를 늘어놓던 집주인이 나를 곁눈으로 힐끔거리며 말했다.

"자네는 야간대학생인가?"

그 동네에서 아래로 난 길을 따라 걸어가다 보면 대략 내가 계약할 집과 비슷한 눈높이에 야간대학교가 있었다. 달빛을 불빛 삼아 공부하려는 속셈이었던지 야간대학교는 성채처럼 언덕 높이 솟아 있었다.

"아닌데요."

어눌한 표정으로 내가 대답했다.

"그럼 일 나가나?"

사태가 점점 불리해진다는 느낌이 들어 나는 황급하게 내가 다니는 학교의 이름을 댔다. 집주인은 사냥에 나갔다가 천자문을 읊는 멧돼지라도 만났다는 듯 눈을 치켜뜨면서 무슨 과에 다니느냐고 물었다. 그때까지도 나는 내가 왜 영문학과에 다녀야만 하는지도 몰랐지만, 어쨌든 그런 사정 따위야 모두 생략하고 간단하게 영문학과라고 대답했는데, 내 생을 모두 통틀어 영문학과에 다니게 된 것을 그 순간만큼 뿌듯하게 느낀 적이 없었다. 그 말이 끝나기가 무섭게 집주인의 기세는 잔뜩 수그러들었다. 집주인의 딸이 신입생으로 입학한 과가 바로 그 학교 영문학과였기 때문이었다.

집주인이 왜 나를 한껏 잘 봐줘서 야간대학생으로 여겼는지 곧 알 수 있었다. 보증금을 받은 집주인이 나간 뒤, 복덕방 중늙은이가 말했다. 그래도 정 붙이면 이 동네도 살기 좋은 곳이라고. 나는 혼자 생각했다. 정은 어떻게 붙이는 것일까? 스물세 살이라면 진심으로 그런 질문을 서슴없이 던질 수 있는 나이였기 때문에 나는 그렇다면 정을 붙여야겠다고 정말 다짐했다. 그런 내게 중늙은이는 퇴폐적인 향취가 더없이 풍기는 예언을 뿜어내고 있었다. 이 동네의 생긴 바를 봐라. 여자의 음부를 닮았다. 예로부터

물이 많아 음기가 강한 곳이라고 했다. 한번 들어오면 쉽게 나가지 못한다. 믿을 수 없는 일이었지만, 나는 중늙은이의 그 말도 아낌없이 믿어버렸다. 그렇네요. 저 아래 계곡도 있고 물도 흐르고.

언제까지 그 동네에 머물지 나로서는 알 수 없는 일이었지만, 중늙은이의 말로 봐서는 쉽게 떠나지는 못할 것 같다는 생각이 들었다. 하지만 슬프거나 화가 나지는 않았다. 그저 그래야만 한다면 그럴 수밖에 없다고 생각했다. 그날 저녁에 나는 복덕방 아래쪽에 있는 쌀집에서 반 되의 쌀을 사서는 보증금 1백만원에 월세 10만원짜리 집으로 들어갔다. 마을버스가 지나가는 길에서 새시 문을 열고 들어가면 여러 겹 포장해놓아 성가시기만 한 선물처럼 곧바로 두 개의 잇딴 방문이 나오는 그런 집이었다.

비가 억수같이 쏟아지던 어느 날, 누군가 문을 두들기는 소리가 들렸다. 아무도 뜯어주지 않는 선물 포장 속의 곰돌이가 된 심정으로 잇따라 붙은 도합 세 개의 문을 열고 밖을 내다보니 나와는 그저 안면만 텄을 뿐인 사내 하나가 외로운 사슴처럼 고개를 갸웃거리며 서 있었다. 나도 그만큼 외로웠으므로 얼른 들어오라고 했다. 그 사내는 시인이었다. 입대하기 전에 나는 그 사내를 만난 적이 있었다. 어느 잡지사에 시를 투고하기 위해 갔더니 그 사내가 편집장으로 있었다. 시를 투고할 작정이라니까 그 사내가 일어나 손을 내밀더니 "저한테 주고 가세요"라고 말했었다. 시를 투고하고 돌아가는 일이 그처럼 쓸쓸한 일이라는 걸 그때 처음 알았다. 확인증이라도 받아간다면 좋으련만, 그때는 외로운 사슴이라기보다는 택시회사 계장과 흡사해보였던 그 사내가 한 말은 그게 다였다.

그리고 두 달 남짓 그 사내에게서 연락이 오기를 기다렸을 것이다. 모르긴 해도. 물론 연락은 오지 않았다. 한국문학은 여전히 식민지 시대의 굴레에서 벗어나지 못하고 있다, 고 악을 쓰고 싶은 심정이었다. 나한테는 확인증도, 등단 소식도 전해주지 못한 그 사내에게 소주를 대접하고 하룻밤 잠자리를 제공했다. 그게 내가 줄 수 있는 모든 것이었다. 밥통은 있었으나 밥은 없었고 작은 냉장고도 있었지만 물조차 없었으니까. 키가 큰 그 사내는 가끔 몸을 뒤척이면서 잠들었다. 시인과 잠을 자기 때문이었을까? 나도 시인이 되고 싶다는 생각을 했다.

다음날, 늦도록 잠을 자는데 전화벨이 울렸다. 먼저 깨어나 내 책을 뒤적이던 사내가 나보다 먼저 전화를 받았다. 전화 속에서 어떤 여자가 나를 찾고 있었다. 사내는 내가 숨겨놓은 양주라도 찾았다는 듯이 눈을 반짝이며 왜 아침부터 김연수 씨를 찾는 것이냐고 농을 걸었다. 하지만 여자는 완강하게 김연수 씨만을 찾았다. 그녀로서는 그럴 수밖에 없었다. 사내는 더 완강하게 왜 아침부터 김연수 씨를 찾느냐고 되물었다. 아마, 그 사내 역시 그럴 수밖에 없었을 것이다.

어쨌든 전화를 건 여자가 말했다. 여기는 출판사인데, 김연수

170

씨에게 전할 말이 있다. 실망한 표정으로 사내가 물었다. 출판사에서 왜 아침부터 김연수 씨를 찾느냐? 여자가 다시 말했다. 당신은 누구냐? 사내가 말했다. 나는 장석남이다. 어머, 장석남 씨가 왜 거기 있어요? 저, 정은숙이에요. 둘은 마치 그날 아침에 전화하기로 했던 사람들인 양 한참 얘기했다. 그 다음에 내가 전화를 받았다. 그건 내가 시인으로 등단하게 됐다는 소식을 알리는 전화였다.

시인이 됐다는 소식을 듣는 것은 생에 딱 한 번만 경험할 수 있는 일이다. 내 경험에 따르면 살아오면서 가장 기뻤던 순간이었다. 얼마나 좋았던지 그날 학교에 간 나는 학교 식당에서 밥을 먹다 말고 1분 정도 큰소리로 웃었다. 밥을 먹던 아이들이 모두 나를 돌아봤는데, 그들의 얼굴을 바라보며 더 크게 웃었다. 나는 이제부터 시인이다. 보들레르 정도는 아니지만, 그 비슷한 것이라구. 짜식들아, 그게 뭔지 알아? 마음 같아서는 교내 곳곳에 설치된 스피커로 하루종일 떠들어대고 싶었다. 저녁에는 그 사내의 집에 가서 계간지에 실릴 사진을 찍었다. 망원동 골목의 주차금지 표지판 앞이나 골목길 담벼락 옆에서 시인들은 과연 어떤 표정으로 사진을 찍을 것인지 상상하며 렌즈를 쏘아봤다.

그리고 그게 다였다. 왜 그런 것인지 지금도 이해할 수 없지만, 시인이 되어서 일어난 일은 그게 다였다. 학교 친구들은 내가 등단한 사실도 모르고 있었다. 가끔 집주인의 딸을 만났다. 학교에

서도 만났고 월세를 주려고 갔다가 좀더 집처럼 생긴 주인집에서
도 만났다. 때로 월세를 늦게 내는 경우도 있었지만, 집주인은 내
게만은 독촉하지 않았다. 그곳에 살면서 나는 집주인 딸의 선배
대접은 톡톡하게 받았지만, 젊은 시인으로서의 대접은 전혀 받지
못했다. 시인이라는 건 주인집 딸의 선배만큼의 쓸모도 없었다.
하지만 그게 마음에 들었다. 아무런 쓸모도 없는 일이라는 게. 어
쩐지 여자의 음부를 닮은 동네에서 할 수 있는 일이라고는 그런
일밖에 없는 듯했다.

그해 여름, 나는 비를 막느라 비닐포장을 두른 슬레이트 지붕
아래 러닝셔츠 차림으로 누워 생각날 때마다 시를 썼다. 매일 쓴
게 아니라 매시간 썼기 때문에 시를 쓸 때마다 옆에다 쓴 시각을
적어놓을 정도였다. 대문(이랄 것도 없지만)을 열어놓았기 때문
에 마을버스가 지나가면 자욱하게 인 먼지가 방안으로 들어왔다.
꼭 길바닥에 누워 있는 느낌이었다. 어쨌건 나는 시를 썼다. 시를
쓰다가 지치면(매시간 시를 써보면 시를 쓰다가 지치는 일이 어
떤 일인지 알게 될 것이다) 다른 사람들의 시를 읽었다. 그 시절
에 잘 읽었던 알렉산드르 블로끄의 시집 제목은 『오, 나는 미친
듯 살고 싶다』다. 여자의 음부를 닮은 동네 뜨거운 지붕 아래에
누워, 오, 나도 미친 듯 살고 싶었다.

그러던 어느 날 저녁이었던 것 같다. 마을버스에 내건 종착지
의 이름은 알프스였다. 그게 무슨 뜻인지 나는 도무지 이해할 수

없었다. 그래서 마을버스 종점까지 가보기로 했다. 여름이었으니까 문을 열어놓지 않은 집이 없었다. 사람들은 텔레비전을 보거나 싸움을 하거나 술을 마시고 있었다. 알프스는 10분 정도만 걸어가면 되는 거리에 있었다. 그건 목욕탕의 이름이었다. 사우나도 못되는, 키 작은 굴뚝의 동네 목욕탕이었다. 실망하거나 후회하지는 않았다. 애당초 그 동네에서 진짜 알프스처럼 웅장한 것을 기대한 적은 없었으니까.

그 목욕탕을 지나 골목으로 조금 더 걸어 올라가니 약 40평 정도 돼보이는 공터가 나왔다. 삼양동, 국제대학교, 정릉의 풍경이 한 눈에 들어오는 공터였다. 공터에는 '쓰레기 무단 투기 금지'라는 표지판과 함께 온갖 쓰레기들이 모여 있었다. 한쪽이 깨어진 좌변기나 자동차 문짝 같은 것들이 설치작품처럼 놓여 있었다. 그 모든 게 한데 어우러져 여기가 바로 끝이라고 말해주는 것 같았다. 끝. 더이상 갈 곳이 없음. 한 번 들어오면 쉽게 나가지 못함.

성호 이익李瀷은 일찍이 어떤 사람의 집에 갔다가 벽 위에 최현崔鉉의 시 한 수를 보고는 감동받아 『성호사설』에 옮겨 놓은 적이 있다.

하늘가의 심담인데 책상머리 몸인지라
날아보고 싶건마는 인연이 있어야지
만리라 푸른 하늘 끝내 한 번 갈 터인데

173

알지 못해라 쇠줄을 끌러줄 사람 누구인가

天邊心膽架頭身 欲擬飛騰未有因

萬里碧空終一去 不知誰是解條人

그 시절의 나 역시 심담心膽, 즉 마음과 포부만은 하늘 끝까지 날아갈 것 같은데 책상머리에 묶인 몸이었는지도 모른다. 블로끄는 「오, 나는 미친 듯 살고 싶다」에서 이렇게 노래했다.

대지 위의 모든 것은 죽어 가리라—어머니도, 젊음도,

아내는 변하고, 친구는 떠나가리라.

그러나 그대는 다른 달콤함을 배워라.

차가운 북극을 응시하면서.

그대의 돛배를 가져와, 멀리 떨어진 북극을 항해하라,

얼음으로 된 벽들 속에서—그리고 조용히 잊어라.

그곳에서, 사랑하고 파멸하고 싸웠던 일들……

정열로 가득 찼던 옛 고향 땅을 잊어라.

누구일까, 나의 쇠줄을 끌러줄 사람은? 어디 있을까, 나의 돛배는? 공터에 선 내게 질문은 버린 사람을 찾을 수 없는 쓰레기처럼 몰려들었다. 하지만 나는 그 무엇도 알 수 없었다. 그 어떤 질문에도 대답할 수 없었다. 그렇게 오래 전 나는 차가운 북극에 간 적이 있다. 거기에는 과 후배의 아버지가 집주인으로 있는 뜨거운 방이 있다. 거기에는 알프스로 올라가는 마을버스가 다닌다. 거기에는 한쪽이 깨어진 좌변기나 자동차 문짝 따위가 버려진 공터가 있다. 오래 전 나는 차가운 북극에 간 적이 있다. 복덕방 중 늙은이는 거기에 한번 들어오면 쉽게 나가지 못한다고 말하고 있었다.

진실로 너의 기백을 공부로써 구제한다면

벌써 10년도 더 지난 일이다. 나는 휴학한 뒤, 고향에 내려가 입대 날짜만 기다리고 있었다. 아침에 가게에 나가 한동안 앉아 있으려니까 눈이 억수같이 쏟아지기 시작했다. 삽시간에 역전 광장 맞은편 집들이 흰빛으로 지워질 만큼 대단한 눈이었다. 한참 그 눈을 바라보다가 다시 난로 옆에 앉아 랭보의 시집『지옥에서 보낸 한철』을 읽는데 누군가 그 눈보라 사이로 걸어와 문을 열었다. 금세 눈사람이 된 회색 승복의 스님이었다. 스님은 단팥빵과 크림빵, 두 개를 골랐다. 마실 것은 따뜻한 보리차나 달라 했다. 어머니가 계셨더라면 속으로 욕 꽤나 먹을 만한, 달갑지 않은 첫 손님이었다. 하지만 나로서는 어찌됐건 아무런 상관이 없었다. 보리차야 늘 난로 위 주전자에 올려됐으니 그저 잔에 따르는 수고만 하면 되는 것이니까.

　우리는 그렇게 난로를 사이에 두고 앉아 있었다. 그쯤에서 나는 다시 랭보의 시집을 펼쳐 읽었다. 보리차만큼이나 따뜻했던

176

김미숙의 아침방송이 가게 안에 울려 퍼졌다. 전국에 눈이 쏟아지고 있다는 멘트.

무슨 책을 그렇게 열심히 읽습니까? 라고 스님이 말했다. 나는 멋쩍은 표정으로 책 표지를 보여주며 랭보의 시집입니다, 라고 말했다. 잠시 입을 오물거리던 스님이 보리차를 한 잔 마시고 다시 말했다. 장차 시인이 될 생각인가요? 조만간 군인이 된다는 것은 확실했지만, 장차 뭐가 될지는 나도 알 수 없었다. 하지만……그렇습니다, 라고 내가 말했다. 사실 시인이 되고 싶었던 것이다. 스님은 다시 입을 오물거리며 손을 크림빵으로 뻗었다. 나는 다시 랭보의 시로 눈을 떨궜다. 그때였다.

10년 뒤에는 세상 모든 사람들이 아는 유명한 사람이 돼 있을 겁니다. 열심히 하십시오. 고개를 들어 바라보니 표정 하나 변하지 않은 채 스님이 그런 예언을 서슴없이 들려주고 있었다. 내 가슴은 쿵쾅거렸다. 왜 그런 얘기가 많지 않은가? 길 가던 스님이 물 한 잔을 달라고 해서 바가지를 내밀었더니 이 집에서 큰 인물이 날 겁니다, 운운하면서 횅하니 사라졌는데 알고 보니 왕이 태어났다는 얘기. 내가 왕까지는 미치지 못하더라도 시인 정도는 될 수 있는 모양이구나, 그런 생각이 들었다. 하지만 나는 옛날 얘기를 곧이곧대로 믿을 만큼 순진한 사람이 아니었다.

정말입니까? 나는 스님에게 한 번 더 되물었다. 정말이고 말고, 라고 스님이 대답했다. 그 무엇이든, 그 누구든 10년만 열심히 한다면 세상 모든 사람들이 알 만큼 유명한 사람이 될 수 있어요, 라고 스님이 덧붙였다. 실망, 대실망이었다. 나도 몰래 에이, 하는 소리가 나왔다. 왜 옛날 이야기에서 예언한 스님이 잠깐 돌아보는 사이에 홀연히 사라지는지 알 수 있을 것만 같았다.

그 스님이 단팥빵만 드시고 불현듯 사라졌다면 좋았을 텐데. 하지만 스님은 내게 영동군 어딘가에 있는 절의 주소가 찍힌 명함까지 건넨 뒤에야 한번 찾아오라는 말과 함께 한결 뜸해진 눈발 속으로 다시 들어갔다. 나는 한동안 그 명함을 바라봤다. 위대한 왕이나 학자의 탄생을 예언한 스님 중에 명함을 가지고 다니는 스님이 있다는 얘기를 들어본 적은 없었다. 한동안 그 명함은 내 지갑에 꽂혀 있었는데 언제부턴가 보이지 않았다.

정조 시대 사람 중에 유석로柳錫老란 사람이 있다. 아마도 정조 시대 인물지를 잘 찾아보면 이 사람에 대해 더 많은 것을 알 수 있을지 모른다. 하지만 나는 유석로가 강화도로 유람가 그 고을의 늙은 기녀와 매우 가깝게 지냈다는 것, 마니산 정상에 올라가 시 한 수를 짓지 못하고 그만 내려왔다는 것 정도밖에 모른다. 그나마도 유석로의 글을 통해서가 아니라 유람가는 그를 송별할 정도로 가까웠던 이옥의 글을 통해서 알게 됐다.

이옥은 자신의 감정을 숨김없이 드러내고 당대의 현실을 그대로 그리는 소품체 문장을 구사한다는 이유로 문체반정을 주도한 정조 임금의 눈밖에 나 평생 관직에 나서지 못하고 지방으로 떠돈 사람이니 이 둘의 교우가 젊었던 성균관 유생 시절에 시작됐다고 해두자. 이옥은 유석로가 마니산에 올라갔다가 그만 시 한 수도 짓지 못하고 그냥 내려왔다는 소식을 듣고는 「황학루 사적에 대한 고증黃鶴樓事蹟攷證」이란 글을 남겼다.

'이백이 중국 호북성 황학루에 올랐다가 최호의 시를 보고 감히 시 한 수 짓지 못하고 떠났다'는 옛이야기에 대한 이옥 나름대로의 해석이었다.

소싯적에 이백은 스스로 문장을 자청해 좋은 산수만 만나면 늘 시를 지었다고 한다. 그러다가 황학루에 오르게 됐는데 눈이 휘둥그레지고 입이 딱 벌어지고 정신이 황홀해져 그만 붓 대롱을 씹어 깨뜨리고 수염을 비벼 쉰여섯 가닥이나 끊어뜨리면서도 한 글자의 시도 쓰지 못했다고 한다. 그래서 술 3백 배를 마시고 쇠망치로 난간을 두드려 부숴버리고 욕하고는 잠들었다. 그리고 꿈속에 학을 탄 신선이 나타나 말하기를,

멀었다! 네가 오늘 이후에도 역시 시에 능하다고 할 수 있겠느냐? 힘쓸지어다. 진실로 너의 기백을 공부로써 구제한다면 무어 넓다고 탓할 것이 있겠느냐? 내가 장차 삼상(중국 광서성에서 발원한 강 이름)의 한 굽이로 연지를 삼도록 너에게 허락하겠다.

遠矣. 爾今而後. 亦可曰能詩否乎 勉之哉 苟以 之氣. 濟之以

말하자면, 양수리 큰 물 정도는 벼루 삼아 누릴 날이 반드시 올 테니 열심히 공부하란 얘기다. 이 얘기를 친구인 유석로에게 들려주면서 이옥은 '이백이 놀라서 일어나, 드디어 중국 강서성에 있는 광려산에 들어가 주야로 글을 읽은 지 무릇 10년 만에 마침내 천하의 문장이 되었다'며 슬쩍 덧붙였다. 이백 얘기를 하는 듯하지만 실은 유석로에게 10년 정도 공부하면 너도 이백 같은 시인이 될 수 있다고 말하는 셈이다. 유석로는 그 말을 믿었을까?

난 정말 그 말을 믿기로 했다. 그로부터 6년 정도가 지난 뒤의 일이었던 것 같다. 문인들이 모이는 어느 술자리에 갔다가 나는 '너는 이제 끝났어'라는 말을 들을 지경이 됐다. 그 무례한 말에 있는 힘껏 항변했지만, 그건 내가 정말 끝난 것인지도 모른다는 생각 때문이었다. 아니다, 끝났다고 생각했다. 그때 그 스님의 말이 생각났다. 10년이라고 했다. 아직 한 4년은 더 남아 있었다. 이백처럼 온 세상 사람들이 아는 그런 시인이 될 것이라고 믿었던 것은 아니다. 다만 거기서 끝나지 않기만을 바랐을 뿐이다.

유람 다니고 기녀와 어울릴 정도로 천성이 게을렀기에 그런 얘기를 들려준 것인지 유석로는 결국 이백 같은 훌륭한 시인은 되지 못했다. 그랬다면 우리가 유석로의 이름을 모를 리 없을 테니까. 하지만 이백이 못되더라도 아무런 상관이 없다고 생각한다.

10년 전 그 스님은 농담하느라 내게 그런 얘기를 했던 것인지 모른다. 그러나 가장 어려울 때, 내게는 그 얘기가 있었다. 고마웠다. 어려워 당장 그만둬야 했을 때, 스님은 내게 4년을 더 준 셈이니까. 유석로에게도 그런 시절이 있었을 것이라고 생각한다. 정조 시대 사람 유석로에 대해 아는 바가 많지 않다. 하지만 그에게도 힘든 시절은 있었을 것이라는 건 안다. 그리고 훗날 그에게 용기가 될 이야기를 전해준 사람이 있다는 것도 안다. 그게 얼마나 고마운 일인지는 겪어본 사람만이 알 테다.

그 모든 것들은 곧 사라질 텐데,

어떻게 사랑하지 않을 수 있을까?

그런 점에서 여전히 나는 사춘기.

앞쪽 게르를 향해 가만-히 살핀다.

앞쪽 게르를 향해 가만-히 살핀다

"너, 눈병 걸렸니?"

1987년 11월, 눈에 안대를 하고 학교에 갔더니 옆짝이 내게 물었다. 나는 고개를 저었다. 그러고 보니 이도 닦지 않고 나온 길이었다. 나는 입을 굳게 다물었다. 2교시가 끝난 뒤, 나는 오른쪽 눈에 찼던 안대를 왼쪽 눈으로 옮겼다. 옆짝은 한동안 내 오른쪽 눈을 바라보더니 더이상 묻지 않았다. 어찌되었건 눈은 상관이 없었던 것이다. 그냥 안대가 하고 싶었던 것이다. 가능하면 양쪽 눈에 다 안대를 하고 앉아 있고 싶었던 것이다.

1987년 내내 나는 쥐 죽은 듯이 공부만 했다. 그해에 내 유일한 목표는 서울에 있는 대학교로 진학하는 일이었다. 내가 사는 도시가 너무나 좁아 견딜 수가 없었다. 다른 친구들은 가출해 큰 도시를 보고 왔으나, 나로서는 대학에 붙는 방법밖에 없었다. 도시락을 두 개씩 싸서 다니며 성문기본영어, 성문핵심영어, 성문종합영어 순으로 영어를 익혔고 기본 수학의 정석, 실력 수학의 정석 순으로 수학을 뗐다. 한 번 떨어진 성적은 좀체 오르지 않았다. 그런데도 어쩐 일인지 1년 내내 전혀 초조하지 않았다. 공부하다가 그만 공부가 재미있다고 생각하게 된 것이다. 공부가 제일 재미있었어요. 멍청이. 그것보다 재미있는 일이 얼마나 많은데, 그것도 모르고…….

그러다가 그만 11월이 찾아왔다. 가로수들 사이가 안개로 설핏해졌다. 교과서들은 너덜너덜해졌고 9교시 보충수업을 받을 때면 불을 밝혀야만 했다. 달력을 보니 공휴일이 하나도 없었다. 그래서 12월을 간절히 기다리다가 그만 이제 내 나이 열여덟 살은 그렇게 끝이 난다는 사실을 깨닫게 됐다. 11월이 되니까 그만 온몸에 힘이 빠져버렸다. 나는 가벼운 감기에 걸렸고, 그걸 핑계삼아 모든 의욕을 놓아버렸다. 안대를 하게 된 까닭도 그 때문이었다. 잠을 자고, 그리고 잠에서 깨어나고 싶지 않았던 것이다. 11월이 얼른 지나갔으면 했던 것이다. 하지만 그렇게 하지 못하니, 반쪽 눈이나마 재우고 싶었다.

그러던 어느 아침, 자습을 하고 있는데 나를 아끼던 사회 선생님이 우리 교실로 찾아왔다. 나는 조금 심드렁한 태도로 걸어나갔다. 대학교 학생회장 출신으로 아직 젊었던 그 선생님은 수업은 35분만 하고 나머지 15분 동안에는 인간이란 어떻게 살아야만 하는가 따위의 질문을 우리에게 던지던 분이었다. 그 정도만 해도 일종의 이념 교육으로 받아들여질 때였다. 처음에는 다들 그 말에 귀를 기울였지만, 계절이 몇 번 바뀌기도 전에 "진도 나갑시다!"라고 외치는 아이들이 생겼다. 그럴 때면 인간이라는 것들이 참 시시한 족속이라고 생각했다. 쳇, 나는 멍청하지만, 너희들은 시시하다.

선생님은 복도에 서서 내게 정말 학교를 그만둘 작정이냐고 물었다. 선생님의 눈을 똑바로 바라볼 수가 없어 나는 11월의 교정만 쳐다봤다. 며칠 전, 나는 선생님에게 엽서 하나 빼곡하게 이딴 교육은 받을 수가 없으니 학교를 그만둘 작정이라는 글을 보냈던 것이다. 선생님은 집에 갔다가 그 엽서를 읽고 다음날 부리나케 학교로 출근해서 나를 불러낸 것이다. 그런 선생님 앞에서 차마 "만사가 귀찮아져서……" 따위의 말을 내뱉을 수는 없었다. 나는 정말 그만둘 작정이라고, 검정고시를 칠 것이라고 대답했다. 선생님은 한동안 말이 없었다.

그리고 선생님은 입을 열었다. 지극히 운동권다운 얘기였다고 나는 기억하고 있다. 어쨌든 우리는 선생님과 제자의 관계였으니까 선생님으로서는 그렇게 얘기할 수밖에 없었을 것이라고 짐작한다. 지금의 너로서는 아무것도 할 수 있는 일이 없다, 일단 대학에 들어가서 세상을 바꾸면 되는 것이다, 너에게는 많은 가능성이 있다, 지금 그 가능성을 포기하는 것은 성급한 생각이다 등등. 선생님은 자신의 이야기를 했다. 고등학교 때 자신이 세상에 대해 느꼈던 불만, 대학에 들어가서 운동하면서 깨닫게 된 일들.

그래봐야 지금은 학교 선생님이지 않습니까, 이런 막된 생각이 마음속에 일었다가는 금방 사라졌다. 그래봐야 나 역시 학교를 그만두지는 못할 것이라는 걸 잘 알고 있었기 때문이었다.

선생님의 얘기를 한참 들은 뒤에 나는 고개를 끄덕였다. 잘 알겠습니다, 라고 대답했다. 역시 학교를 계속 다녀야만 하겠군요. 멍청이. 성문종합영어와 정석수학이 제일 재미있다고 생각하는 멍청이가 학교를 그만두는 일은 절대로 없는 것이다. 교실로 다시 들어오는데, 나 자신이 너무나 하찮게 여겨졌다. 할 수만 있다면 그딴 엽서 따위는 다시 찾아와 찢어버리고 싶었다. 왜 선생님에게 11월이라서 그랬던 것뿐이었습니다, 라고 말하지 못했을까? 멍청이. 선생님에게는 너무나 미안했고 내게는 정말이지 하찮은 마음이 들었다.

그러던 어느 날, 학교 근처에서 자취하는 친구를 따라 또 다른 친구의 자취방에 찾아간 적이 있었다. 내가 잘 모르는 그 친구는 그 즈음 단학에 빠져 있었다. 담배 연기가 자욱한 자취방에서 내가 잘 모르는 친구는 자신은 염력으로 형광등의 불을 끌 수 있다는 말을 버젓이 내뱉었다. 나는 깜짝 놀라서 그 친구를 쳐다봤다. 왜 형광등을 염력으로 꺼야만 하는 거지? 그냥 스위치를 누르면 끌 수 있잖아? 왜 군이 형광등을 염력으로 꺼야만 하는 거야? 내가 그 친구에게 물었다. 둘은 담배를 피웠고 나는 담배를 피우지 않았다. 우리 앞에서 시범을 보이려고 했던 그 친구는 내 물음에 그만 흥미를 잃고 말았다. 중요한 것은 형광등이 아니고 염력이야. 내가 잘 모르는 그 친구는 내게 그렇게 말했다.

그런 것일까? 정말 중요한 것은 형광등이 아니라 염력인 것일까? 손만 뻗으면 형광등을 끌 수도 있는데, 우리가 굳이 염력을 익혀야만 하는 것일까? 그해 11월, 나는 진정으로 그 질문에 대한 답을 구하고 싶었다. 하지만 11월은 그 답을 가르쳐주지 않았다. 나는 염력을 익히는 마음으로 그해 11월을 버틴 게 아니었을까? 그런 게 아니었을까?

그리고 12월이 되자, 모든 것은 바뀌었다. 기말고사에서 나는 좋은 성적을 얻었고 연말을 맞아 학교의 분위기는 조금씩 느슨해지기 시작했다. 추풍령에서 불어오는 바람이 너무 차갑고 세차 12월이 되면서부터는 자전거 대신 버스를 타고 통학했다. 기말고사가 끝난 뒤부터는 야간자습을 하지 않았기 때문에 저녁 거리를 걸어서 돌아오는 일이 잦았다. 가끔씩 눈이 흩날릴 때면 참으로 치사하게도 나는 열여덟의 12월, 인생이란 마음껏 누릴 만한 것이라고 생각했다.

몽골의 시인인 이스 돌람의 시를 읽게 된 것은 그로부터 아주 오랜 시간이 흐른 뒤의 일이다. 하지만 이스 돌람의 시 「만추」를 읽자마자 나는 질문으로 가득 찼던 그해 11월을 떠올렸다. 질문으로 가득 찬 삶이 얼마나 아름다운 것인지 깨닫게 됐다.

샘 끝이 열린다.

물이 불었다.

황금빛 언덕에 그늘이 진다.

산, 산에 골안개

초원의 외로운 천막이 바람에 펄럭인다.

가축몰이는 끝이 났다.

밖으로 나가고 싶은 마음

망설임

문 위로 달이 더디 돋는다.

음력 이십오일이 가까웠다.

암소가 이리저리 다니다가 초원에서 밤을 지낸다.

젖이 줄어드는 때가 가까웠다.

발바닥 아래서 나뭇잎이 바스락

가을 풀이 말랐다.

앞쪽 게르를 향해 가만-히 살핀다.

남몰래 정이 들었다.

그해 11월, 나는 남몰래 정이 들어 자꾸만 밖으로 나가고 싶어 하는 유목민이었다. 염력을 익히는 게 아니라, 일단 대학에 가는 게 아니라, 지금 당장 밖으로 나가고 싶은 사춘기였다. 왜 그런 마음이 들었는지 몰라 선생님을 만나고 돌아와서는 스스로도 이해할 수 없는 머리통을 때렸지만, 이제는 그 이유를 너무나 잘 알고 있다. G. K. 체스터튼은 이런 말을 한 적이 있다. 사랑하는 것은 쉽다. 그것이 사라질 때를 상상할 수 있다면. 열여덟 살의 11월에 나는 처음으로 그렇게 모든 것이 지나가고 나면 다시 돌아오지 않는다는 걸 깨달았던 것이다. 단순히 사랑해서가 아니라 그 사실 때문에 사랑했던 것이며, 사랑하지 못할까봐 안달이 난 것이었다.

사실은 지금도 나는 뭔가를 사랑하지 않는 사람들을 보면 이상하기만 하다. 그 모든 것들은 곧 사라질 텐데, 어떻게 사랑하지 않을 수 있을까? 그런 점에서 여전히 나는 사춘기. 앞쪽 게르를 향해 가만-히 살핀다.

서리 내린 연잎은 그 푸르렀던
빛을 따라 주름져 가더라도

　고등학교 시절, 어느 출판사에서 뽑는 독자 모니터 요원이 되겠답시고 독후감을 써서 보낸 적이 있었다. 모니터 요원이 되면 그 출판사의 책을 정기적으로 보내준다고 했기 때문이었다. 그때까지만 해도 백일장은커녕 작문 시간에도 글을 잘 쓴다는 말을 들어본 적이 없었기 때문에 그다지 기대는 없었다. 그런데 얼마 뒤, 그 출판사에서 독자 모니터 요원에 뽑혔다며 답장이 왔다.

　워드프로세서로 인쇄한 내용물은 별다를 게 없었는데, 봉투에 글을 잘 읽었다며 몇 마디 적혀 있었다. 내가 너무 좋아하는 시인이 쓴 글이었다. 기분이 얼마나 좋았는지 말로 표현할 수 없을 정도였다. 아마도 그 봉투의 글귀가 아니었더라면 나는 여전히 "이제까지 백일장은커녕 작문 시간에도 글을 잘 쓴다는 소리를 들은 바 없고" 운운하며 계산기를 두들기고 있었을지도 모른다.

　다 늦어 글 잘 쓴다는 소리를 들은 나는 불행 중 다행인지 다행 중 불행인지 대입시험에서 천문학과를 지망했다가 그만 떨어지고 말았다. 잔뜩 의기소침해 재수를 준비하려던 차에 서울에서 그 시인을 만났다. 다시 한번 그는 내게 글을 잘 쓴다며 번역을 해보라고 권했다. 나는 중학교 1학년 때부터 이과를 꿈꾸던 사람이었다. 문과에 진학한다는 건 내게 완전히 새로운 삶을 살라는 뜻이나 마찬가지였다. 하지만 그는 "이제까지 백일장은커녕"으로 중무장한 내 뿌연 내면에 감춰진 능력을 보고 있었다. 그런 게 어떻게 눈에 보이는 것인지는 아직 잘 모르겠다.

어쨌거나 나는 손바닥을 뒤집듯 쉽게 영문학과에 지원하기로 결심했다. 한 인간이 대학 진학을 앞두고 계열을 바꾸는 데는 수많은 원인이 있기 때문이지만, 영문학과에 들어가게 된 것은 전적으로 그의 권유 때문이었다. 살아오는 동안, 그 누구도 내게 그런 식으로 말한 사람은 없었다. 내 성적과 생김새를 지적하는 사람은 많았지만, 내 안에 어떤 가능성이 있는지 직접 가리켜 말한 사람은 없었다.

내가 시를 쓰게 된 것도 그가 내게 던진 말 때문이었다. 한번은 내가 무슨 일로 약간 비꼬는 투를 섞어 "저도 시나 써야겠어요"라고 말한 적이 있었다. 그는 정확하게 내게 이렇게 말했다. "그거 좋은 생각이구나. 네가 어떤 시를 쓸지 꼭 보고 싶다." 어떻게 그런 말을 할 수 있을까? 그의 격려 덕분에 내 안에 가시덩굴처럼 쌓여 있던 수많은 두려움들, 예컨대 "이제까지 백일장은커녕" 같은 것들이 하나 둘씩 떨어져나가기 시작했다.

늘 그렇게 격려하기만 한 것은 아니었다. 내가 처음 시를 보여 줬을 때, 그는 멍한 표정으로 노트를 앞뒤로 넘기다가 한참 만에 입을 열었다. "이게 백상지 100그램짜리인가? 아주 비싼 종이에 시를 썼네. 다음부터는 싸구려 갱지에 시를 써." 그게 무슨 말인 지 금방 알 수 있었다. 사람들이 이건 그래도 시처럼 보인다고 말 할 때까지 나는 수없이 많은 노트를 버려야만 했으니까. 하지만 그래도 불안하지 않았다. 나에게는 내 또래의 그 누구보다도 큰 자신감을 불어넣어준 사람이 있었으니까.

그렇게 한 3년 정도 그와 함께 지냈다. 그의 집에서 생활하기도 했고 함께 여러 곳을 여행하기도 했다. 그러는 동안, 나는 수없이 많은 광경을 봤고 수없이 많은 소리를 들었다. 대개는 처음 보고 듣는 것들이 많았다. 그를 만나기 전까지 나는 세상을 제대로 바 라보고 듣는 법을 몰랐기 때문이었다. 사실 나는 자신이 어떤 사 람인지도 몰랐다. 스승이라고 부를 만한 사람들이 우리 삶에 존 재하는 뜻은 우리 같은 사람들도 이 세상을 더 밝고 멀리 보라는 까닭이다.

내가 아끼는 시집 중에 첫 손으로 꼽는 책은 정조 때 사람들인 이덕무, 유득공, 박제가, 이서구 이 네 분이 합동으로 펴낸 『사가 시선四家詩選』이다. 이 아름다운 시집에는 그들이 서로 어울려 지 내면서 지은 시들이 많다. 유득공의 「부용산중에서 옛 생각에 잠 겨芙蓉山中話舊述懷」도 그런 시 중 하나다. 이 시는 함께 모여서

귀해지거나 천해지거나 길이 서로 사귀자며 부지런히 함께 글을 배웠던 지난 10년 동안의 일들을 회상하는 내용을 담았다. 시는 다음과 같은 구절로 끝난다.

주인이 집을 물가에 지은 뜻은
물고기도 나와서 거문고를 들으람이라.
主人亭館多臨水 應使寒魚出聽琴

쓸쓸한 물고기 같았던 내게도 거문고 소리가 들려온 것은 내 안에 있는 재능을 더 열심히 살려보라고 권유한 사람이 있었기 때문이다. 군대를 다녀온 뒤로는 그를 거의 만나지 못했지만, 나는 시인으로 등단했고 번역서도 펴냈다. 불과 몇 년 전까지만 해도 나를 비롯해 주변의 모든 사람들이 상상조차 할 수 없는 일이었다. 나 같은 물고기에게도 거문고 소리를 들려주겠노라고 물가에 집을 짓는 사람이 있었으니까 그런 일이 일어난 셈이다.

살아오면서 나는 많은 것을 배웠다. 영어 가정법 문장을 어떻게 만드는지도 배웠고 3차 방정식을 그래프로 옮기는 법도 배웠다. 하지만 내가 배운 가장 소중한 것은 내가 어떤 사람일 수 있는지 알게 된 일이다. 내 안에는 많은 빛이 숨어 있다는 것, 어디까지나 지금의 나란 그 빛의 극히 일부만을 보여주고 있다는 것을 깨닫게 된 일이다.

유득공은 「부용산중에서 옛 생각에 잠겨」를 시작하면서 이렇게 노래했다. '직문 아래서 글 읽던 우리가 늙어가듯／가을 들어 연잎도 한 철이 지나누나!早學雕龍稷下林 霜荷皺似舊青襟'. 세월은 흐르고 흘러 서리 내린 연잎은 그 푸르렀던 빛을 따라 주름져갈 테다. 연잎이 주름지고 또 시든다고 하더라도 한때 그 푸르렀던 말들이 잊히지는 않을 것이다. 내게도 그처럼 푸르렀던 말이 있었다. 예컨대 "글을 잘 읽었다"라든가, "그거 좋은 생각이구나. 네가 어떤 시를 쓸지 꼭 보고 싶다" 같은 말들. 그런 말들이 있어 삶은 계속되는 듯하다.

어둠을 지나지 않으면
어둠에서 벗어나지 못하느니

내가 다니던 중학교 뒷산의 이름은 까치산이었다. 아마도 까치가 많이 살았던 모양이다. 우리는 그 산 이름을 그렇게 알고 있었지만, 지도에는 다른 이름으로 씌어 있었을 것이다. 지도에는 까치산의 능선을 따라 계속 걸어가면 소백산맥에 닿고 소백산맥을 따라 계속 걸어가면 지리산까지 이어진다고 나와 있었다. 말이 그렇다는 얘기지, 그런 식으로 지리산까지 갈 수는 없었다. 그런데도 나는 지리산까지 가고 싶었다. 그것도 중학교 2학년 무렵에 말이다.

그해 가을 어느 맑은 날, 나는 까치산 중턱에 앉아서 한참을 울었다. 다른 아이들은 4교시 수업을 받고 있었다. 한참을 울고 나니 그제야 가을 햇살이 무척 노랗다는 게 눈에 들어왔다. 2교시를 마치고 교실에서 도망치듯 까치산으로 올라갔으니 벌써 두 시간째 나는 수업을 빼먹고 있었다. 점심시간이 시작되면 아이들이 까치산으로 올지도 모르니 지리산으로 떠나겠다면 빨리 마음을 먹고 떠나야만 했다. 하지만 지리산이 과연 어디쯤에 붙어 있단 말인가! 게다가 가겠다고 결심한다고 해도 무엇을 먹고 어디서 잔단 말인가! 나는 선뜻 자리에서 일어나지 못했는데, 아무리 엄격하게 생각한다고 해도 그건 용기가 없어서만은 아니었다.

그렇게 망설이는 동안, 점심시간을 알리는 종이 울렸고 산 아래 교실 쪽에서는 아이들이 요란하게 떠드는 소리가 들렸다. 몇 걸음 산 정상 쪽으로 발걸음을 옮겼다가 다시 주저앉았다가 반복하는데 아래쪽에서 누군가 애타게 내 이름을 부르는 소리가 들렸다. 그 소리에 나는 움찔했다. 여름이 시작될 무렵부터 나를 괴롭혔던 아이의 목소리였다. 지리산을 향해 도망갈 것인가, 아니면 그 애에게 내가 어디 있는지 알릴까 결정하지 못하고 한동안 숨어 있다가 나는 참담한 마음으로 '나 여기 있어'라고 외쳤다. 사실 나는 그 애의 괴롭힘을 견디다 못해 2교시 끝나고 쉬는 시간에 교실에서 도망쳐 나왔던 것이다.

누구도 믿을 수 없어. 그 누구도 믿을 수 없어. 그해, 계절이 여름에서 가을로 바뀌는 동안 내가 수없이 되뇌었던 말이었다. 학교에 가는 게 고통스러울 지경이었다. 나와 친했던 아이들이 많았지만, 그 누구도 나를 괴롭히는 그 아이를 제지하거나 혼내주지 못했다. 그러기에는 너무나 싸움을 잘하는 아이였다. 선생님들은 늘 성적만을 볼 뿐이었다. 선생님들의 관점에서 나는 아무런 문제가 있을 리 없는 아이였다. 부모님은 언제나와 마찬가지로 내 일상에 대해서는 별다른 관심을 보이지 않았다. 학교에서 나는 이 세상 전부와 맞서는 것 같았지만, 누구도 나를 대신해 그 아이를 물리쳐줄 사람은 없었다. 그건 암흑과도 같았다. 도저히 이겨낼 수 없을 것만 같았다.

하지만 누구도 나를 도와주지 않는다면 나 혼자서 그 상황을 해결해야만 한다고 생각했다. 언젠가는 둘이 싸워서 보란 듯이 이기겠다는 생각으로 팔굽혀펴기를 하고 발차기를 했다. 숨이 턱까지 차오르도록 운동장을 뛰었고 철봉에 매달렸다. 내가 아무리 힘을 길러도 나보다 훨씬 몸집도 크고 어려서부터 유도를 배운 그 아이를 힘으로 이길 수 없다는 생각은 조금도 하지 않았다. 이길 수 없다고 하더라도 나는 이길 수 있다고 믿어야만 했다. 왜냐하면 나 혼자 힘으로 이겨내는 방법밖에는 그 상황에서 벗어날 수 있는 방법이 없었기 때문이었다.

그 즈음부터 나는 밤늦게 아무도 없는 산길을 천천히 걷기 시작했다. 당장이라도 돌아서서 불빛 속으로 뛰어가고 싶은 욕망을 억누르고 어둠 속을 천천히, 아주 천천히 걸었다. 걸으면서 나는 어둠을 하나 하나 들여다봤다. 어둠은 나를 삼켜버릴 정도로 무서웠다. 하지만 매일 그 아이를 만나는 일은 그보다 더 무서웠다. 어둠을 이겨내지 못하면 그 아이를 이겨낼 수 없을 것이라는 절박감이 나를 그렇게 내몰았다.

가장 견디기 힘든 경우는 어둠 속에서 멀리 불빛이 보일 때다.

그 불빛이 얼마나 정겨운지 당장이라도 뛰어가고 싶어 견딜 수가 없었다. 하지만 꾹 참았다. 참아야만 했다. 왜 어둠 속을 걸어야만 하는가? 그런 생각을 해본 적도 없었다. 지금 생각하면 이상하다. 왜 그런 생각도 하지 않았단 말인가? 왜 그래야만 하는지도 모르고 어둠 속을 걸어가야만 했던 그 중학교 2학년생을 생각하면 지금도 가슴이 아리다.

나는 김시습을 잘 모른다. 『금오신화』를 지은 사람이라는 것, 다섯 살 때 시를 지어 세종대왕을 깜짝 놀라게 해 '김오세金五歲'라는 별명을 얻은 사람이라는 것 정도를 알 뿐이다. 하지만 그가 「밤이 얼마나 지났는가夜如何」라는 시를 썼다는 것만은 알고 있다. 이 시는 이렇게 시작한다.

밤이 얼마나 지났는가, 아직 절반도 못 되었네.
뭇별들이 눈부시게 빛을 내누나.
깊은 산 그윽한 골짜기 어둡기만 한데
그대는 어이해 이 고장에 머무는가.
夜如何其夜未央 繁星粲爛生光芒
深山幽邃杳冥冥 嗟君何以留此鄉

김시습은 이 시에서 '杳冥冥'이라고, 그러니까 '어둡고 어두울 정도로 어둡다'며 세 번이나 어둡다는 말을 썼다. 김시습이 맞닥

200

뜨린 어둠은 과연 어떤 것이었을까? 스물한 살 시절 삼각산에서 글을 읽다가 수양대군이 나이 어린 단종에게서 정권을 탈취했다는 소식을 듣고 사흘이나 두문불출한 다음에 통곡하고 책들을 모두 불살랐다더니 그런 참담한 시대를 일컫는 것이었을까? 얼마만큼 어두웠기에 '어둡고 어두울 정도로 어둡다'라고 쓸 수 있을까? 그만큼 삶이 어둡고 어두울 정도로 어두웠다는 뜻이 아닐까?

지리산으로 도망칠 용기도 없음을 확인하고 풀숲에서 나오는 내게 그 아이는 겁에 질린 표정으로 괜찮느냐고 물었다. 까치산에서 내려간 나는 수업을 빼먹은 일로 교무실로 불려갔다. 왜 그랬느냐는 선생님의 질문에 나는 모의고사를 망쳐서 그랬노라고 대답했다. 선생님은 재차 물었다. 나는 선생님의 눈을 쳐다보며 똑같이 대답했다. 그 말을 믿었는지, 아니면 전후사정을 짐작한 것이었는지 선생님은 내게 앞으로는 마음대로 수업을 빼먹지 말라고 말했다. 교무실에서 나왔더니 그 아이가 무슨 얘기를 했느냐고 물었다. 나는 그대로 얘기했다. 그 아이는 잘했다며 안심했다. 까치산에서 내려온 뒤부터 그 아이는 더이상 나를 괴롭히지 않았다. 나는 웃고 싶을 때 웃을 수 있었고 놀고 싶을 때 놀 수 있었다. 그리고 다시는 울지 않았다.

김시습이 맞닥뜨린, 어둡고 어두울 정도로 어두운 밤은 아니었지만 중학교 2학년 시절 나도 어둡고 어두운 어둠을 본 적이 있었다. 그 어둠을 보지 못했더라면 나는 아주 하찮은 조각에 불과할

지도 모른다. 어둠을 똑바로 바라보지 않으면 그 어둠에서 벗어날 수 없다는 것, 제 몸으로 어둠을 지나오지 않으면 그 어둠에서 벗어날 수 없다는 것, 어둡고 어두울 정도로 가장 깊은 어둠을 겪지 않으면 그 어둠에서 벗어날 수 없다는 것. 그건 중학교 2학년생에게는 너무 가혹한 수업이었지만, 또 내 평생 잊히지 않는 수업이기도 했다.

매실은 신맛을 남겨 이빨이 약해지고

1983년 8월, 나는 서울 여의도에 있었다. 당시 여의도는 여러 가지 일 때문에 상당히 복잡했다. 가장 큰 일이라면 이산가족을 찾겠노라며 KBS로 몰려든 사람들이 온갖 종류의 벽보를 붙여놓은 일이었다. 그건 정말 대단한 광경이었으나, TV에서 본 장면을 직접 본다는 것 외에는 별다른 감흥이 들지 않았다. 하긴 나는 서울에 처음 놀러 간 소도시 중학생이었다. 그것 말고도 볼 게 너무나 많았다.

내 마음을 뺏은 것은 거기에서 몇백 미터 떨어진 곳에서 열린 '83 로봇 과학전'이었다. 그때만 해도 민해경의 노래 가사처럼 서기 2천년이 오면 우리는 로켓 타고 멀리 저 별 사이를 날 줄 알았다. 싸바 싸바 노래하며. 《소년중앙》에 김정흠 박사가 쓴 것처럼 TV는 신문을 인쇄해내고 기차는 자기력으로 30센티미터 가량 부양해서 움직일 줄 알았다.

하지만 1983년 여의도의 로봇들을 바라보니 의구심이 무럭무력 피어올랐다. 그 로봇들은 삼류 스탠드바를 연상시키는 조명 아래 정말 유치하기 짝이 없는 모습으로 서서는 앞에 사람이 있건 없건 팔을 내밀면서 "안녕하세요?"라고 말을 걸고만 있었다. 그것들에게 과연 요리나 청소를 시킬 수 있을 것인지 따져보느라 머릿속이 적잖이 복잡했다.

그 멍청한 로봇을 보려고 모여든 아이들로 행사장 안은 만원이었다. 구경하는 내내 덥고 목이 말랐다. 아버지가 하도 강권해 간신히 팔을 흔드는 빨간색 로봇 앞에서 사진을 찍었다(나중에 인화해보니 플래시가 터지면서 초점이 뒤쪽의 로봇에게 맞춰졌기 때문에 얼굴이 하얗게 지워진 내가 마치 로봇처럼 나왔다). 어지간하면 로봇보다는 뭘 좀 먹고 싶다는 생각이 들었다. 그런데 주위를 둘러봐도 여의도는 황량했다. 가게는 쉽게 보이지 않았다. 대신에 리어카를 끌고 다니는 아줌마들이 여럿 보였다.

그 리어카 앞에서 나는 생전 처음 컵라면을 먹었다. 진짜 컵 모양으로 생긴 라면이었다. 처음에는 스프를 별도포장하지 않고 그냥 면에 뿌려놓았기 때문에 그저 포장을 뜯어내고 노란 주전자에 든 뜨거운 물을 부으면 끝이었다. 그리고 컵라면을 받아와 시계를 들여다보면서 3분을 기다렸다. 내 인생에서 가장 길었던 3분. 먼저 물을 받은 사람들이 여기저기 아스팔트 위에 쭈그리고 앉아 휘어진 나무젓가락으로 라면을 먹고 있었다. 개발도상국의 아이들인 우리들도 서기 2천년이 오면 로켓을 탈지도 모른다. 저 별

사이를 날아다닐지도 모른다. 싸바 싸바.

그 다음날인가, 아버지와 함께 택시를 타고 남산타워에 갔다. 남산타워에 도착하자, 아버지는 택시기사가 일부러 돌아서 왔다며 돈을 다 줄 수 없다고 소리쳤다. 둘은 서울역에서 남산타워까지 가는 최단경로를 놓고 실랑이를 벌였다. 함께 간 서울 아저씨가 그냥 돈을 내자고 했다. 그 복잡한 길을 두고 택시기사와 논쟁을 벌일 수 있는 아버지가 대단히 훌륭해보였다. 하긴 아버지는 기차 시간이 남으면 택시를 타고 북악 스카이웨이를 드라이브하고 돌아오던 양반이었으니까.

남산타워에 올라가 시시하기 짝이 없는 서울 풍경을 둘러보고 다시 내려왔더니 아주 길게 사이렌이 울렸다. 민방위 훈련인가 했더니, "이것은 실제 상황입니다"라는 방송이 요란하게 울려 퍼졌다. 실제 상황은 또 뭔가? 아버지와 서울 아저씨의 표정은 어두워졌다. 그분들은 실제 상황이 어떤 것인지 경험해봤으니까. 나는 남산타워 밑 나무 그늘에 앉아 아이스크림을 먹으며 전쟁이 일어난다면 어떻게 될까, 만약 우리가 이산가족이 된다면 고향의 형과 누나도 내 몸에 있는 흉터의 위치를 적은 종이를 KBS 본관 벽에 붙여놓을까, 그런 생각을 했다.

실제 상황이 벌어진 남산 나무 그늘에 앉아 나는 서기 2천년이 되려면 얼마나 많은 시간이 흘러야 할 것인가 생각했다. 그건 대략 1983년 여의도에서 컵라면이 익기를 기다리는 3분 동안의 시간과 비슷했다. 지금 생각해보니. 3분은 그처럼 길었고 서기 2천 년은 그토록 빨리 찾아왔으니까. 거 참, 지난날이란 때로 낮에 꾸는 꿈과 같기도 하구나. 양만리楊萬里라는, 참으로 기나긴 이름의 송나라 시인은 「한가로운 초여름에 낮잠 자고 일어나다開居初夏午睡起」란 시에서 이렇게 노래했다.

매실은 신맛을 남겨 이빨이 약해지고
파초는 푸르름을 나누어 비단 창문을 물들인다
해는 길어 낮잠 자고 일어났으되 무료하여
아이들이 버들꽃 잡는 것을 한가로이 바라본다
梅子留酸軟齒牙 芭蕉分綠與窓紗
日長睡起無情思 閑看兒童捉柳花

매실주를 마셨고 신맛은 입안에 남았고 이빨은 약해지고…….
파초는 비단 창문에 푸른 그림자를 드리우고 해는 길고 자고 일어났는데도 날은 환하고 아이들은 버들꽃 잡으러 다니고…….
그런 줄도 모르고 싸바 싸바. 서기 2천년이 오지 않을 것처럼 싸바 싸바. 컵라면이 익기만을 기다리던 그 3분만큼이나 빨리 17년이 흘러갈 줄은 미처 생각하지도 못하고 싸바 싸바.

봄빛이 짙어지면 이슬이 무거워지는구나. 그렇구나.

이슬이 무거워 난초 이파리 지그시 고개를 수그리는구나.

누구도 그걸 막을 사람은 없구나. (…) 울어도 좋고 서러워해도 좋지만,

다시 돌아가겠다고 말해서는 안되는 게 삶이로구나.

검은 고양이의 아름다운 귀울림 소리처럼

초등학교 시절이었다. 동네의 형들과 누나들은 속옷 속에다, 혹은 양말 속에다 파란 지폐를 감춘 채, 1박 2일의 수학여행을 다녀오면 달라졌다. 그들은 더이상 우리와 놀지 않았다. 골목에서는 조무래기들만 모여서 형이나 누나가 수학여행지에서 사온 신기한, 그러나 조잡하기 그지없는 선물들에 대해 떠들었다. 어둠 속에서 빛을 내는 야광 석굴암, 새총처럼 생겨 양옆의 작은 기둥을 조였다 풀면 저절로 체조를 하는 나무인형, 효도를 해야만 한다는 강박관념에 사온 싸구려 술과 그만큼이나 싼 반지, 손으로 맨 위 계단에서 그 다음 계단으로 윗부분을 내려놓으면 그 다음부터는 제 혼자서 계단을 내려가던 스프링처럼 생긴 장난감 등등등.

형들과 누나들이 빠져나가고 나면 한동안은 노는 게 신통찮았다. 오징어잡기나 강 건너기의 선수들이 사라졌으니 새로운 선수들이 나타나 놀이판을 평정하게 되기까지는 얼마간 시간이 걸렸던 것이다. 하지만 곧 새로운 형들과 누나들이 그 자리를 대신하게 마련이었다. 그 즈음이면 수학여행을 다녀온 형들과 누나들은 중학교에 들어가 교복을 입고 어두운 길만 밟고 다녔다. 그때의 교복이란, 그들이 이제 다시는, 절대로, 무슨 일이 있어도, 우리와는 오징어잡기나 강 건너기를 하지 않는다는 뜻이었다. "어텐션 플리즈, 바우!"의 세계로 그들이 넘어갔다는 뜻이었다.

그리하여 나도 얼른 6학년이 되어 수학여행을 가리라 결심했다. 간절히. 손꼽아. 그리고 세월은 흘러갔다. 책을 사고 싶으니 돈을 달라고 말하면 늘 돈과 함께 나오던 어머니의 한숨마냥 느릿느릿. 읽은 책을 또 읽고 또 읽고 또 읽어서 결국에는 다 외워버릴 정도가 될 정도로 느릿느릿. 그렇게 천천히 세월이 흐르고 나자, 나도 동네 꼬마 녀석들의 부러움을 한 몸에 받으며 수학여행을 가게 됐다. 재촉하는 만큼 빨리 흐르지는 않는다고 해도 나이가 들고 싶다는 아이의 소원쯤이야 들어준다는 것, 삶이 너그러운 건 그때뿐이다.

수학여행은 경주에서 1박한 뒤, 부산을 거쳐 집으로 돌아오는 일정이었다. 뭘 봤을까? 불국사, 석굴암, 천마총 같은 것은 하나도 기억에 남지 않았다. 다만 친구들과 함께 올라탄 새벽 완행열차와 목이 싸한 사이다와 더럽기 짝이 없는 이불에 천장이 울퉁불퉁했던 방에서 수십 명씩 잠잤던 일과 잠든 친구의 얼굴과 사타구니에 사인펜으로 그림을 그렸던 일과 결코 잊지 못할 도시락, 대패로 얇게 잘라낸 나무 조각으로 만든 도시락, 먹으면 식중독에 걸린다고 해서 좀 산다 하는 집 애들은 그냥 버리던 그 도시락만 기억에 남았다. 수학여행이 그런 것인 줄은 전혀 상상하지 못했다.

경주에서 다시 기차에 올라타려는데 선생님이 상기된 목소리로 말했다. "지도를 떠올려봐라. 지금 우리는 기차를 타고 동해를 따라 내려간다. 조금 있으면 바다가 우리 눈에 보일 것이다. 어느 쪽에 앉아야 바다가 보이겠느냐?" 왼쪽이다, 아니다, 오른쪽이다. 아이들의 의견은, 당연하지만 양분됐다. 아이들은 OX 문제를 푸는 것처럼 저마다의 답안을 가지고 양옆에 앉았다. 그때까지 바다를 본 아이는 거의 없었다. 하지만 기차가 출발하고 얼마 지나지 않아 아이들은 바다 생각을 잊어버리고 오징어땅콩이나 묵찌빠나 《소년중앙》의 세계로 빠져들었다.

그때다. 누군가가 "바다다"라고 소리쳤다. 떠들어대던 아이들이 모두 왼쪽으로(맞습니까, 선생?) 몰려갔다. 정말 바다였다. 바다라는 게 그런 것인 줄은 정말 몰랐다. 나는 기차 통로에 한참이나 멍하니 서서 바다를 바라봤다. 바다가 그런 것인 줄 알았다면 마음의 준비라도 갖추고 볼 것을. 나는 느닷없이 "바다다"라고 소리친 아이가 원망스러웠다. 초등학교 6학년 봄에, 그렇게 나는 바다를 만났다.

그리고 얼마 뒤, 나도 중학생이 됐다. 이제는 더이상 동네 꼬마 녀석들과 어울리지 않았다. "아임 탐. 아임 어 스튜던트. 유아 제인. 유아 어 스튜던트" 하고도 "투!"의 세계로 들어갔다. 교집합과 합집합과 여집합과 공집합의 세계에서 다시는 빠져나오지 못했다. 하지만 자율화 덕분에 교복만은 영영 입지 못했다. 그게 제일 아쉬웠으나, 어쨌거나 내 책꽂이에는 펼치면 〈우리는 중학생〉이라는 노래가 나오는 음악책이 꽂혀 있었다.

하지만 바다는, 그런 바다는 다시 보지 못했다. 그렇게 세월이 흐르고 나면 다시는 돌이킬 수 없다는 것을 그때는 알지 못했다. 처음으로. "바다다"라는 말에 놀라던 그때로. 흘러간다. 세월은, 그렇게, 그렇게. 부드럽게, 따뜻하게. 일본 시인 기타하라 하쿠슈 北原白秋의 「세월은 가네」라는 시를 읽으면 가끔 아무런 후회도 없이, 아쉬움도 없이 세월을 보내던 그때 그 시절이 떠오른다. 내가 그리워하는 것은 그렇게 흘러가던 세월의 속도다. 그 시절이 결코 아니다.

세월은 가네. 붉은 증기선의 뱃전이 지나가듯
곡물창고에 번득이는 석양빛.
검은 고양이의 아름다운 귀울림 소리처럼,
세월은 가네. 어느 겔엔가, 부드러운 그늘 드리우며 가네.
세월은 가네. 붉은 증기선의 뱃전이 지나가듯.

다시 한번 그렇게 세월을 보낼 수 있다면. 간절히. 손꼽아. 수학여행을 기다릴 수 있다면. "어텐션 플리이즈, 바우!"의 세계를 소망할 수 있다면. 깜짝 놀라 바다를 바라볼 수 있다면. 그렇게 세월이 흐르고도, 나이가 들고도 후회하지 않을 수 있다면. 그럴 수만 있다면.

그대를 생각하면서도 보지 못한 채

초등학교 시절이고 1월이라면 대일밴드가 기억난다. 그 무렵이면 나는 늘 양쪽 복숭아뼈에 대일밴드를 붙이고 다녔다. 아픔을 참아가며 때에 절어 너덜너덜해진 대일밴드를 떼어내다 보면 겨울이 다 지나갔다. 새로 생긴 살은 다른 살에 비해 매끄러웠다. 그 살을 바라보며 다음해 겨울에는 대일밴드를 붙이지 않게 될까, 그런 생각을 했었다. 왜냐하면 다음해 겨울에는 발이 더 자랄 것이었으므로. 내가 형에게 물려받은 스케이트는 내 발에 너무 컸으므로. 한 번만 얼음을 지치면 양쪽 복숭아뼈의 살갗이 벗겨졌으므로. 그 시절, 내가 제일 갖고 싶었던 것은 '복숭아뼈가 까진다는 게 무슨 의미지?' 라며 순진무구하게 물어보는 듯 세련되기 짝이 없었던 형태의 피겨 스케이트였다. "그건 가시나들이나 타는 거야." 늘 발보다 더 큰 신발을 사주시던 아버지 덕분에 나와 마찬가지로 복숭아뼈에 대일밴드를 붙이던 형이 그렇게 핀잔을 쳤다.

아침에 일어나 이불 속에서 눈을 뜨며 창문을 바라보면 그날 스케이트를 타러 갈 수 있는지 없는지 대충 짐작할 수 있었다. 양치식물 표본 같은 이상한 모양으로 유리창에 성에가 잔뜩 피어올랐다면 겨우내 빈 논에 물을 받아 차려놓은 스케이트장에도 얼음이 알맞게 얼었다는 뜻이었다. 낑낑대며 얼어붙은 나무 창문을 열고 바깥 공기를 한껏 들이마시노라면 1월 새벽 공기에서는 후추처럼 매운 냄새가 나면서 콧구멍이 들어붙었다. 바로 그런 날이면 스케이트를 챙겨 시 외곽에 있던 스케이트장까지 걸어갔다. 무거운 스케이트를 등에 둘러메고 총총걸음으로 군데군데 얼어버린 길을 따라 걸어가던 일은 지금 생각해도 가슴이 설레기만 하다.

한 번도 제 발에 맞는 스케이트를 신어보지 못했다는 것은 스케이트장에 가면서 느끼는 설렘이 스케이트를 경쾌하게 지치는 일에서 비롯된 것만은 아니라는 뜻이다. 복숭아뼈에 대일밴드를 붙이고 얼음판을 지치다보면 고통은, 그러니까 끊이지 않고 계속될 때 고통은 때로 감미로울 수 있다는 것을 안다는 뜻이다. 한 시간 정도가 지나면 발을 한 번 내딛는 데도 상당한 분량의 용기를 모아야만 한다. 용기를 모은다. 고통이 잠시 찾아온다. 그리고 당분간 그 고통을 잊는다. 그리고 다시 용기를 낸다. 내게 스케이팅이란 이런 일련의 행정行程을 통해 걸어가는 것보다 조금 더 빨리 앞으로 나아가는 일이었다. 내 발에 꼭 맞는 피겨 스케이트가 있었다면 스케이팅이 그처럼 복잡한 과정을 거쳐야만 즐길 수 있는 운동이 아니라는 걸 깨달았겠지만, 왜 고통은 때로 감미로울 수 있다는 것인지 알지는 못했을 것이다.

기온이 충분히 떨어지지 않은 날이면 대략 오전 10시쯤에 빙판의 가장자리부터 얼음이 녹기 시작했다. 얼음이 녹거나 말거나, 관리하는 아저씨가 나오라고 소리를 지르거나 말거나 계속 스케이트를 타는 고등학생 형들을 제외하면 대부분 빙판 가장자리에서 처음으로 얼음이 녹기 시작하면 밖으로 나왔다. 스케이트를 벗고 한쪽에 피워놓은 장작불에 언 발을 녹이고 나면 이제 집으로 돌아갈 일만 남았다. 흐르는 콧물에 피곤한 다리로 입김을 불어가며 집으로 돌아가는 길은 멀고도 춥기만 했다.

그러던 어느 날이었다. 누나가 너무 추우니 어디 가서 잠깐 뭘 좀 먹다가 가자고 했다. 초등학교 시절이고 1월이고 집으로 돌아가던 길이라면 그보다 훌륭한 제안이 어디 있었겠는가! 누나는 그 당시 고향에 있던 2층짜리 백화점 한쪽 분식 코너로 우리를 데려갔다. 아마도 누나는 몇 번 가본 모양이었다. 우동, 김밥, 오뎅이라면 나도 한 번쯤은 맛본 음식이었다. 하지만 그날 누나는 색다른 이름의 음식을 주문했다. 떡볶이라는 음식이었다. 그날 나는 떡볶이를 처음 먹었다. 처음 먹었으니 매웠을까? 모르겠다. 그런 건 하나도 기억나지 않는다. 그 매운 맛도 때로는 감미로울 수 있다는 사실을 깨달았겠지, 뭐. 어쨌든 처음 먹은 떡볶이라면 그

저 1월과 내 발보다 훨씬 더 큰 스케이트와 너덜너덜해질 때까지
양쪽 복숭아뼈에 붙이고 다녔던 대일밴드만 떠오를 뿐이다.

그 시절, 떡볶이란 지금처럼 맵지 않았다. 적어도 즉석떡볶이
라는 게 등장하기 전까지는 말이다. 고등학생이 되자 소금구이
집에서나 볼 수 있었던 가스화로를 식탁에 턱하니 올려놓은 분
식집들이 하나 둘 생기기 시작했다. 서울에서 유행한다던 즉석
떡볶이를 판매하기 위해서였다. 다들 알겠지만, 즉석떡볶이란
분식점에서는 재료만 제공하고 나머지는 손님들이 직접 만들어
먹는 떡볶이다. 조리라고는 하나 재료, 양념, 물의 양을 모두 맞
춰서 내놓기 때문에 사실 국자를 저으며 시간만 기다리면 그럴
듯한 떡볶이가 나왔다. 한 번은 근처 여고에 다니던 한 여학생과
그 즉석떡볶이를 먹어야만 할 일이 생겼다. 제과점, 분식집, 레
스토랑이 아니면 사귀는 여고생과 단 둘이 만날 수 있는 장소가
없었으니까.

여고 문예반에서 활동하며 시를 쓰던 아이였다. 어느 날인가
그 학교 문예반이 시 문화원에서 개최한 시화전에 친구들과 떼를
지어 몰려가서는 다들 지켜보는 가운데 미리 점찍어둔 그 아이를
잠깐 불러내 "너랑 사귀고 싶다"고 말한 적이 있었다. 그 아이는
눈이 동그래졌다. 그럴 수밖에 없었다. 우리는 고작 고등학교 1학
년이었고 기껏해야 열일곱 살이었다. 결과를 묻는 친구들에게 나

는 으스대는 말투로 같이 사귀기로 했다고 대답했다. 열일곱 살, 그 정도면 세상 모든 것을 얻은 듯 의기양양할 수 있는 나이다.

그 아이와 둘이서 분식점에 가 즉석떡볶이라는 것을 먹었다. 재료가 담긴 큰 냄비를 가스화로 위에 올려놓고 서로 잘 이어지지 않는 얘기를 나눴다. 낯선 사람을 알아간다는 것, 그리하여 그 사람에 익숙해진다는 것은 예상 외로 쉬운 일이 아니었다. 무슨 말만 하고 나면 '아차, 이건 말하지 말걸' 이런 후회가 들었다. 그건 그 아이도 마찬가지였을 것이라는 생각은 오랜 시간이 흐른 뒤에나 들었다. 워낙 더운 날씨 때문이었는지, 가스불이 우리 둘 사이에서 맹렬하게 타오르고 있었기 때문이었는지, 아니면 서로 어색해서 그랬는지 꽤나 더웠던 기억이 난다. 열일곱 살이라고 하더라도 남자와 여자가 함께 있으면 어떤 식으로든 역할 분담이 생기기 때문에 즉석떡볶이는 그 아이가 만들었다. 국자로 떡볶이 국물을 아직 숨이 죽지 않은 재료 위에 연신 들이붓는 그 아이를 보면서 괴언 함께 살면 음식은 잘 만들 것인가 혼자 상상한 것은 오버 중의 오버였다.

할말이 없어 서로 이제 다된 것인가, 안된 것인가 토론하다가는, 먹어야 할 시점에 이르러 서로 눈치만 보다가는, 제대로 먹지 못해 결국 국물이 졸아 하나도 남지 않은 채, 당면이며 라면이며 떡이 퉁퉁 불게 된 지경이 됐다. 아마 반 이상 남은 것 같았다. 친구들과 함께 먹을 때는 음식을 남긴다는 건 있을 수 없는 일이었다. 아마 그건 그 아이도 마찬가지였을 것이다. 하지만 어쩐 일인지 둘이서 먹었더니 반 이상이 남게 됐다. "이거 어떻게 된 일이지? 나 떡볶이 잘 만드는데, 오늘은 잘 안되네." 그 아이가 난처한 표정으로 그런 얘기를 했다. "물을 부으면 돼." 내가 그렇게 말하고는 가게 아줌마에게 물을 달라고 했다. 그 아이는 내가 하는 품을 그냥 지켜봤다. 나는 불어오른 채 말라가는 즉석떡볶이라는 것에 뜨거운 물을 부었다. 결과는 더욱 비참했다. 손가락 두 개 정도의 굵기가 된 하얀 떡들이 물 위를 둥둥 떠다녔다.

서울에서 선풍적인 인기를 끌건 어떻건 지방 소도시의 열일곱 살 남자아이와 여자아이에게 즉석떡볶이는 별로 어울리지 않는 음식이었다. 어울리지 않기로는 '이런 걸 과연 사랑이라고 하는 것일까?'라는 의문만 내게 잔뜩 남겼을 뿐인 첫사랑도 마찬가지였다. 보지 않으면 보고 싶었고 만나면 즐거웠다. 이런 걸 사랑이라고 하는 것일까? 하지만 거기에는 대단히 중요한 뭔가가 결여돼 있는 듯 보였다. 지금 생각하면 만나면 만날수록 괴로워지는 어떤 것, 괴로우면 괴로울수록 감미로워지는 어떤 것, 대일밴드의 얇은 천에 피가 배어드는 것을 느끼면서도 스케이트를 지칠 수밖에 없는 어떤 마음, 그런 마음이 없다면 사랑이라고 부를 수 없는 게 아닌가는 생각이 든다.

어쨌든 그 아이와는 고등학교를 졸업할 무렵에 헤어졌다. 2년 정도 우리는 학교에서나 집에서나 공식적인 커플로 지냈다. 어느 밤에 집 앞으로 불러내 그만 만나자고 말하면서 장미꽃을 내밀었다. 유치하기 짝이 없는 일이었다. 왜 장미꽃이었을까? 그건 나도 모르겠다. 그 아이도 왜 받아야만 하는지도 모르면서 장미꽃을 받아들었다. 그 아이의 안색이 그믐밤보다도 더 어두워졌다. 그건 전혀 유치하게 보이지 않았다. 갑자기 내가 또 대단히 큰 실수를 저질렀구나는 자책이 들었다. 하지만 실수를 저지르는 것보다 돌이킨다는 것을 더 부끄럽게 여기던 시절이었다. 왜 그렇지 않겠는가? 기껏해야 나는 열아홉 살이었으니까. 한동안 그 아이가 미친 듯이 보고 싶다가, 또 얼마간은 문득문득 생각이 나다가, 결국에는 잊혀졌다. 복숭아뼈에 남은 흉터처럼 얼마간 마음에 남아 있다가는 이내 흔적도 없이 사라졌다. 하지만 둘이서 힘을 합쳐 만들었던, 이 세상에서 제일 맛없는 즉석떡볶이만은 여태 잊혀지지 않는다. 어색함과 순진함과 내숭과 부끄러움 등으로 만들었던 그 즉석떡볶이만은.

나는 노예라고 하더라도 평생 한 가지 일만 반복해서 할 수 있다면 죽는 자리에서 어떤 식으로든 깨달음을 얻으리라고 믿는 사람이다. 떡볶이라 하더라도 평생에 걸쳐서 먹게 되면 어떤 식으로든 깨달음은 들게 될 것이다. 나는 떡볶이를 통해 세상의 모든 것은 다 변한다는 깨달음을 얻었다. 처음에는 달콤했지만, 이내 매워졌다가는 결국 쫄깃쫄깃해졌다. 뭐 그런 식의 맛의 변천사를 말할 생각은 아니다. 우리 얘기를 할 생각이다. 우리. 떡볶이를 사먹는 우리 말이다.

지난 4년간 나는 술에 취해서 집에 들어오는 길에 늘 원당 시내에 있는 분식점에 들러 떡볶이를 샀다. 술을 마시고 한 시간에 걸쳐 버스나 지하철이나 택시를 타고 돌아오다 보면 필연적으로 배가 고프게 마련인데, 그때 떡볶이를 먹으면 안성맞춤이었다. 원래는 신촌 전철역 일대의 떡볶이 맛을 제일 좋아하긴 하지만, 신촌을 지날 때는 배가 그다지 고프지 않은 데다가 떡볶이를 사들고 버스에 오르면 냄새가 나 다른 사람의 위장을 자극하는 문제가 있었다. 그래서 언제부터인가는 그 집에서만 떡볶이를 사먹기 시작했다. 대단한 맛은 아니다. 떡볶이에 포함된 여러 맛 중에서 씁쓸한 맛이 제일 강한 분식점 스탠더드 떡볶이일 뿐이다. 매운맛도 때로 감미로울 수 있다는 식의 철학적인 느낌에는 훨씬 미치지 못한다.

처음 그 집에서 떡볶이를 샀을 때, 내게 떡볶이를 포장해준 사람은 고등학교에 다니던 그 집의 딸이었다. 교복 위에 앞치마를 두르고 있었으니 다른 사람에게는 그다지 큰 관심이 없는 나 같은 사람마저도 고등학생이라는 사실을 모를 리 없었다. 그리고 많은 일들이 있었다. 한때 나는 읽어야 할 책이 잔뜩 들어 있는 불룩한 가방을 멘 잡지사 기자였다가, 또 한때는 시장에 간 아내를 기다리던 차 안에서 이제 더이상 원고를 보내지 않아도 좋다

는, 어느 백과사전회사의 일방적인 계약 중단 통고를 받고 살아
갈 일이 막막해 절망하던 전업작가였다가, 또 한때는 소설을 위
해 죽을 수는 있으나 그렇다고 굶어죽을 수는 없는 일이 아니냐
며 새 직장, 파티션이 쳐진 책상에 혼자 앉아서는 일주일 내내 책
상 맞은편에 붙은 연예인 브로마이드만 하염없이 바라보던 과장
이었다.

그러는 동안에도 그 아이는 무럭무럭 자라 이제는 더이상 교복
을 입지 않고 있었다. 그 아이는 학교를 졸업한 뒤, 본격적으로
집안의 사업을 도맡기 시작했다. 낮이나 밤이나 가게를 지키는
것인지는 알 수 없으나 술에 취한 내가 들어가는 밤에는 꼭 그 아
이가 장사를 했다. 처음 얼마간은 부모들이 도와주는가 싶더니
그 아이 혼자만 남아서 말라붙는 떡볶이 판에 물을 붓고 튀김용
기름의 온도를 맞춰놓는 일이 잦아졌다. 삶은 정신을 차릴 수 없
이 바빠지기 시작했다. 그 즈음에 아이가 태어났기 때문만은 아
닐 테지만, 나는 서서히 일하는 만큼만 돈을 받는 세계에 익숙해
져갔다. 이 말은 곧 하루종일 일한다는 뜻이었다. 그래서 가끔 술
을 마시게 되면 고주망태가 됐다. 그 지경이었으면서도 나는 꼭
그 집에 들러 떡볶이를 샀다. 마지막 남은 떡볶이일 때도 많았고
떡볶이가 다 떨어져 그냥 돌아서는 일도 있었다. 안됐다. 꿈도 많
을 텐데. 혼자서 일하는 그 아이를 두고 돌아설 때면 그런 생각이
들었다. 그러니까 그 아이는 스무 살이거나 스물한 살이 아니겠

는가. 벌써부터 밤 2시까지 일하지 않더라도 앞으로 세상 살아가려면 힘든 일이 많을 텐데. 지금은 친구들과 마음껏 밤거리를 활개치고 다녀도 부족할 텐데. 제 코가 석자면서 나는 그런 생각을 했다.

손님이 찾아오면 순대를 잘라야 하고 튀김도 기름에 넣어야 하고 떡볶이에 뜨거운 물도 부어야 하는 등, 두 손을 모두 사용해야 하는 경우가 많았기 때문에 그 아이는 휴대폰을 목에 걸고 오른쪽 귀에 이어폰을 낀 채 장사를 했다. 한 번은 그 앞에 서서 비틀대며 떡볶이를 먹는데, 그 아이에게 전화가 왔다. 대충 내용을 들어보니 군대에 간 남자친구가 취침점호가 끝난 뒤, 공중전화로 걸어온 전화였다. 힘들어죽겠다. 보고 싶다. 뭐, 군대에 설치된 통신망을 통해 전해오는 표현은 저마다 다르겠지만, 그 실질적인 내용이야 다 그런 게 아니겠는가. 그 아이는 때로 달래기도 하고 때로 다그치기도 하면서 전화를 받았다. "어휴, 조금만 지나면 다 나아지겠지. 원래 처음에는 다 그렇다잖아" "그래, 휴가 나오면 내가 사줄게", 고개를 오른쪽으로 비스듬히 하고 그 아이가 그런 말을 내뱉었다. 그 통화 내용을 들으며 떡볶이 한 그릇을 먹는 동안, 나는 위로받았다. 조금만 지나면 다 나아지겠지. 그렇겠지.

여전히 술에 취하면 나는 그 가게의 떡볶이를 즐긴다. 내가 먹어본 최고의 떡볶이라고는 말할 수 없다. 떡볶이에 포함된 여러 맛 중에서 쌉쓸한 맛이 제일 강한 분식점 스탠더드 떡볶이일 뿐이다. 하지만 그 집은 내 인생의 맛집이랄 수 있다. 처음 봤을 때만 해도 교복 차림의 여고생이었던 그 아이는 이제 이십대 중반으로 넘어가고 있다. 맛과는 무관하게 떡볶이며 튀김이며 순대를 다루는 솜씨는 매우 탁월해졌다. 어떻게 무엇으로 바뀌든 바뀌어간다는 것, 그게 바로 인생이다.

내가 가장 좋아하는 이백의 시는 「아미산 달노래峨眉山月歌」다.

아미산에 걸친 반 조각 가을달
그림자는 평강강 강물에 비쳐 흐른다
밤에 청계를 떠나 삼협으로 향하며
그대를 생각하면서도 보지 못한 채 유주를 내려간다
峨眉山月半輪秋 影入平羌江水流
夜發清溪向三峽 思君不見下渝州

어쩌자고 삶은 그처럼 빨리 변해가는가? 어쩌자고 열아홉 살에 우리는 헤어지게 된 것일까? 어쩌자고 모든 것은 조금만 지나면 다 나아지는가? 어쩌자고 고통은 때로 감미로워지는가? 내가 묻고 싶은 질문은 끝이 없으나 대답하는 이는 아무도 없다. 밤에 청계를 떠나 삼협으로 향하며 그대를 생각하면서도 보지 못한 채 유주를 내려가는 이백처럼 질문에 대한 답은 알지 못한 채, 나는 그저 술에 취한 밤이면 여전히 떡볶이를 사러 인적 드문 시장 골목을 지나 그 집으로 걸어갈 뿐이다. 모르긴 해도 하늘에는 꽃 저문 자리마냥 별빛 조각 몇 개 떠 있을 테고 어느 곳에선가에는 전화기를 붙잡고 우는 사람도 있을 테고.

외롭고 높고 쓸쓸한

　'하쿄오토여 눈이 쌓인 그 위에 밤비가 오네下京や雪つむ上の夜
の雨'라는 건 일본의 하이쿠 시인인 노자와 본초오野澤凡兆와 마
츠오 바쇼松尾芭蕉가 함께 지은 시다. '눈이 쌓인 그 위에 밤비가
오네'까지 지어놓은 노자와 본초오가 앞의 다섯 문자를 어떻게 할
까 고민하는 걸 보고 마츠오 바쇼가 '하쿄오토여'라고 시작하라
고 우겼는데, 그게 그만 대성공을 거뒀다고 한다.
　하쿄오토란 교토京都 남쪽의 서민 동네를 가리킨다. 흔히 시타
마치下町라고 해서 사람들로 북적대는 동네다. 그 동네에 하루종
일 눈이 내렸다가 밤에는 비까지 뿌린다. 아이들은 저녁답까지
눈싸움을 하다가 이젠 지쳐 곯아떨어졌겠다. 밤늦도록 남편과 아
내는 잠들지 못하고 이런저런 얘기를 나눌 것 같다. 눈이 쌓인 그
위에 내리는 밤비 소리가 한없이 따뜻해지지 않을 수 없다. '하쿄
오토여'라고 붙이는 것만으로 대성공을 거둘 수 있었던 까닭은 이

때문이다.

눈 위에 내리는 비라면 나도 일가견이 있다. 내가 자란 동네는 대나무의 북한계선 바로 밑에 있었다. 간신히 자란 대나무는 기껏해야 겨울철이면 방앗간에서 뽑아오는 가래떡 굵기에 불과했다. 그런 지방이라면 겨울에도 눈 구경하는 일이 쉽지 않다. 가까스로 소백산맥을 넘어왔다고 해도 눈구름은 맥이 별로 없었다. 날씨가 온화한 탓에 함박눈이 내리지만, 그 눈은 대개 쌓이지 않고 녹게 마련이었다. 중국 동북지방에 갔더니 날씨가 추워 싸락눈이 내리는 것과는 참 달랐다.

어린 시절의 이야기다. 한번은 역시 쌓이지 않는 눈이 내렸는데, 나가서 보니 지붕 위에는 어쩐 일인지 조금씩 눈이 쌓여 있는 것이었다. 나는 쓰레기를 치울 때 쓰는 부삽을 들고 담장을 밟아 지붕 위로 올라갔다. 지붕에 쌓인 눈을 마당에 던져놓으면 그 위에 내리는 눈이 쌓이지 않겠느냐고 생각했기 때문이었다. 눈이 내리는 날, 지붕 위에서 나는 부삽으로 눈을 마당에 던졌다. 마당에 조금씩 쌓이기 시작했다. 지붕에 있는 눈을 모두 마당으로 던져놓고 나는 다시 내려왔다.

추워져서 방안으로 들어가 미닫이문을 열어놓은 채, 이불을 뒤집어쓰고 내리는 눈을 바라봤다. 눈이 쌓이기는커녕 점점 더 녹고 있었다. 그러다가 설상가상으로 눈과 비의 가운데 있는 어떤 물질이라고 부를 만한 것이 떨어졌다. 이윽고 내가 마당에 쌓아

227

놓은 눈무지는 모두 녹아버렸다. 그때쯤에는 이미 온몸이 노곤해진 나는 이불 속에서 잠이 들었다. 닫아놓은 문이 바람에 덜컹거리는 소리가 들려서 깰 때는 이미 밤이 깊었고 그때까지도 겨울비가 내린다는 걸 깨닫게 된다. 어쩐 일인지 눈이 내리다가 비로 바뀌는 일은 곧잘 있었지만, 비가 내리다가 눈으로 바뀌는 일은 거의 없었다. 그게 내가 자란 고장의 풍토였다. 그래서 '눈이 쌓인 그 위에 밤비가 오네'라고 한다면 나는 그 풍경을 너무나 잘 이해한다.

함박눈이 내리다가 어느 틈엔가 비로 바뀌는 풍경을 바라보자면 마음이 참으로 예민해야만 한다. 언제 눈이 비로 바뀌었는가를 알자면 눈뿐만 아니라 귀도 열어놓아야만 한다. 모자를 뒤집어쓰고 밖에서 놀던 아이들이 서둘러 집으로 돌아오는 게 보이면, 혹은 처마 밑으로 뭔가가 떨어지는 소리가 들리다가 그 소리가 점점 커지면 바로 그 순간 눈은 비로 바뀐다. 눈이 비로 바뀌는 그 짧은 순간에 아이들은 조금씩 자라나는 것이다. 내게 겨울이라면, 겨울방학이라면 그런 의미다.

겨울방학에는 아무것도 하지 않고 보내는 일이 많았다. 방학숙제도 하지 않고 나가서 놀지도 않고. 그냥 아랫목에 가만히 누워 멍하니 벽지의 사방연속 무늬를 바라본다거나 형광등 갓을 지켜본다거나 그것도 아니라면 창 밖의 바람소리에 귀를 기울이는 일이 많았다. 반쯤 잠들고 반쯤 깨어 있는 그런 상태. 아직 한 학년은 끝나지 않았고 새로운 학년은 시작되지 않은 그런 상태. 더없이 외롭고 높고 쓸쓸한 상태. 이것도 저것도 아닌 겨울방학이란 아무것도 충전할 수 없는, 그저 반쯤은 피로하고 반쯤은 쓸쓸한 시기다.

내가 황금 탄환을 생각하는 것은 바로 그럴 때다. 중국 서한西漢 시대의 일들을 기록한 『서경잡기西京雜記』에 보면 '한언韓嫣'이라는 사람이 등장한다. 총명하고 말타기와 활쏘기에 뛰어났다던 한언은 탄환을 시위에 매겨 쏘는 활인 탄궁 쏘기를 즐겼는데, 항상 황금으로 탄환을 만들었다고 한다. 아이들은 한언이 탄궁 쏘러 나간다는 말을 들으면 즉시 그를 따라다니면서 탄환이 떨어진 곳을 바라보고 있다가 곧장 주웠다고 한다. 그래서 장안長安 사람들은 그 일을 두고 이렇게 말했다.

배고픔과 추위에 고달프면 황금 탄환을 좇아라
苦饑寒 逐金丸

이 세상 어딘가에는 한언의 황금 탄환 같은 것이 있을 것이라고 나는 생각한다. 겨울이면 여전히 나는 외롭고 높고 쓸쓸한 가운데 이 세상 어딘가에 있을 황금 탄환을 생각한다. 배고픔과 추위에 고달프면 황금 탄환을 좇아라. 가장 낮은 곳에 이르렀을 때, 산 봉우리는 가장 높게 보이는 법이다. 그리고 삼나무 높은 우듬

지까지 올라가본 까마귀, 다시는 뜰로 내려앉지 않는 법이다. 지금이 겨울이라면, 당신의 마음마저도 겨울이라면 그 겨울을 온전히 누리기를. 이제는 높이 올라갈 수 있을 테니까.

그 그림자, 언제나 못에 드리워져

봄이었나 했더니 눈발이 흩날렸다. 오늘만은 할 수 있는 한 최선을 다하자고 우리 삼남매는 서로 다짐했다. 대단한 일을 하자는 것은 아니었다. 그저 노래방 기계에 맞춰서 노래를 부르고 춤을 추기만 하면 되는 일이었다. 술에 취한 삼남매가 노래방 앞에서 이런 다짐을 한다면 그거 좀 괴기한 일이 되겠지만, 칠순 잔치를 앞두고서라면 괴상할 일이 전혀 없다. 그러니까 그날은 어머니의 칠순 날이었다. 서른다섯 해, 부지런히 달려와 드디어 내 나이가 어머니 연세의 딱 절반이 된, 아주 역사적인 날이었다. 앞으로는 그 언제라도 내 나이를 갑절로 곱하면 어머니 나이보다 많게 됐다. 스스로 대견하다고 생각해야만 할 텐데, 그런데, 어째 그런 마음은 조금도 들지 않았다.

어머니는 나를 서른여섯 살에 낳았다. 지금 내 나이 즈음이다. 생각에도 없었던 아이가 덜컥 들어서는 바람에 낳을 수밖에 없었다고 말씀했다. 어릴 때는 그렇게 아슬아슬하게 세상에 나왔다니

231

천만다행이라며 안심하기도 했고 조금 더 커서는 그때 태어나지 않았어도 괜찮을 뻔했다는, 막된 생각도 했다. 입에서 나오는 게 말이라는 것은 알겠으나, 그 뜻은 무엇인지 아직 모르던 시절의 일들이었다. 늦둥이에 막내에 꼬마 주제에 어머니의 가슴을 두고 두고 쓰라리게 만드는 재주가 나는 참 많았는데, 그 중 하나가 "다른 엄마들은 젊은데 우리 엄마는 할머니야"라고 말한 일이었다. 재주는 그쯤에서 그친 게 아니어서 그런 말을 내뱉고는 나는 쭉 잊어버리고 살았는데, 어머니는 내게 서운했던 일이 뭐냐는 아내의 물음에 그 말씀을 했다.

어린 시절에 나는 어머니가 김천에서 두번째로 예쁜 처녀였다는 얘기를 들은 적이 있었다. 첫번째라고는 말하지 않았으니까 이렇게 공개적으로 쓰더라도 어머니 또래의 김천 할머니에게서 항의가 들어오는 일은 없을 것이다. 어쨌든 두번째로 예쁜 처녀였다고 했다. 하지만 나는 그게 좀 믿기지 않았다. 어째서 첫번째가 아닌가, 라고 생각했다면 김천에서 첫번째로 훌륭한 막내아들이 될 수 있었을 텐데 일찍이 어리버리했던 내 눈에는 다른 애들 엄마들이 더 예쁘게 보였다.

아마도 나는 늦되게 태어나서, 또 부모님의 사랑을 많이 받아서 어린 시절에는 세상 물정을 잘 몰랐던 모양이다. 그런데 내가 세상 물정을 알든 모르든 시간은 참으로 부지런히 흐르더라. 나이가 들고 결혼한 뒤, 사진첩을 들여다보다가 나는 문득, 너무나 뒤늦게, 참으로 어리버리하게도 내가 어렸을 때 어머니가 얼마나 젊었었는지 깨닫게 됐다. 아아, 이런 깨달음이란 새벽에 일어나 아무도 몰래 쓰레기장에 내버리고 돌아왔으면 좋겠다. 그리하여 요즘도 멍청한 생각을 많이 하는 나는 가끔 타임머신이 있어서 젊은 시절의 어머니를 한번 만나봤으면 하는 꿈을 꿀 때가 있다. 말은 걸지 않고 그냥 얼마나 예뻤다는 것인지 먼발치에서 바라보고 싶다.

1991년의 일이었던가? 치바 세계탁구선수권 대회에 남북단일팀이 참가해 아주 좋은 성적을 거둔 적이 있었다. 가게에 앉아 그 시합을 텔레비전으로 보는데, 어머니가 갑자기 고향 얘기를 꺼냈다. 치바현이 바로 어머니의 고향이 있는 곳이다. 어느 날, 등교해 수업을 받는데, 누군가 어머니를 불러냈다. 외갓집 어머니 형제는 모두 열한 남매였으니 아마도 언니나 오빠였겠지만, 아직도 외삼촌과 이모들의 나이 순서가 헷갈리는 나로서는 그저 '누군가'라고만 기억할 수밖에 없다. 어머니는 그렇게 한국으로 들어왔다. 열 살 때쯤이겠다. 열한 남매가 모두 정규적으로 학업을 마치기에는 벅찼던 모양이었다. 그게 어머니의 마지막 정규 수업이 됐으니까. 하지만 나는 그런 어머니에게서 살아가는 방법을 다 배웠다. 다른 애들이 '하나 둘 셋 넷'을 배울 때, 나는 '이치 니 산 시'를 배웠다.

세월을 더 거슬러, 내가 초등학교 6학년쯤 됐을 때니까 1980년대 초반일 것이다. 외갓집의 그 열한 남매가 모두 한자리에 모인 적이 있었다. 당연히 축구 시합을 하자는 뜻은 아니었다. 누군가의 생일이었는데, 여러 달 계획을 잡았기에 한자리에 모일 수 있었던 것 같았다. 일찌감치 일본에서 결혼한 분들은 해방이 돼서도 한국에 나오지 않고 일본에 계속 살았다. 어머니도 그때 일본에 남았다면 지금과는 전혀 다른 삶을 살았을 것이다. 물론 나 같은 녀석에게 "다른 엄마들은 젊은데 우리 엄마는 할머니야" 따위의, 막내아들의 입에서 흘러나오기는 했으나 도무지 그 의미를 납득할 수 없는 문장을 들을 일은 없었을 것이다. 그날, 누군가 〈블루 라이트 요코하마〉란 노래를 부르자, 열한 남매가 다들 박수를 치면서 즐겁게 그 노래를 따라 불렀다.

요코하마의 푸른 불빛이란 그 얼마나 애잔한 광경이겠느냐마는 한참 일본 교과서 파동이 일어난 데다가 일본의 나카소네 수상은 '나 카소네요'라고 인사하고 한국의 전두환 대통령은 '전 두환입니다'라고 인사한다는 우스개가 떠돌 만큼 일본에 대해 자존심이 상했던 그 시절, 나는 어김없이 MBC 뉴스데스크가 보증하는 초등학생 애국자였다. 역전 광장에서 머리에 띠를 두르고 혈서를 쓰는 마음으로 나는 그 일본 노래를 듣지 않으려고 귀를 틀어막았다. 어머니가 그렇게 즐거워하며 노래를 부르는 모습은 그때 처음 봤으면서 말이다.

그로부터 많은 세월이 흘렀다. MBC 뉴스데스크에 나카소네와 전두환이 나오는 일은 이제 거의 없으며 끓어넘치던 그 애국심은 잔뜩 졸아버렸다. 하지만 여전히 남은 것은 있다. 바로 〈블루 라이트 요코하마〉라는 그 노래다. 귀를 틀어막으면서까지 듣지 않으려고 했던 것들은 왜 좀체 잊혀지지 않는 것인지 모르겠다. 나는 가끔씩 '요코하마. 블루 라이트 요코하마'라고 중얼거리는 자신을 발견하고는 깜짝 놀라기도 한다. 어리버리하다면 기억력이라도 나쁘든지, 기억력이 좋다면 똑똑하기라도 하든지. 그 노래를 기억하기는 기억하되, 도무지 그 구절 이상을 기억하지는 못하니 안타깝기 그지없는 일이었다.

어머니의 칠순 잔치가 벌어지던 그날, 나는 뜻한 바가 있어 무대에 올라갔다. '부르실 곡명은?'이라고 묻는 노래방 기계에다 대고 내가 소리쳤다. "몰라서 묻나?" 그리고 그 노래가 흘러나왔다. 우리 둘이서 함께 걷는 요코하마의 밤거리. 아아, 요코하마의 푸른 불빛이여. 그 얼마나 서정적인 가사였겠느냐마는 나는 거의 서태지의 노래 반주에 맞춰 사설시조를 창하는 듯한 꼴로 더듬대다가는 이윽고 기다렸다는 듯이 소리 높여서 "요코하마. 블루 라이트 요코하마"를 외쳤다.

멍청이. 바보. 20여 년이 지나 외삼촌과 이모들 앞에서 그렇게 소리 높여 그 노래를 부를 작정이었다면 귀를 틀어막느니 진즉에 그냥 어머니를 따라 즐겁게 노래를 부를 일이었지. 나카소네가 '나 카소네요'라고 인사했다는 소리만 듣지 않았더라도, 그게 그

235

러니까……. 허혼許渾의 시에 '어제는 소년, 오늘은 백발昨日少
年今白頭'이라더니 노래를 들으며 박수를 치는 이모와 외삼촌들의
모습은 어제 본 듯 여전한데, 나는 이제 서른다섯 살이 됐다. 혹
시 아이라도 낳게 된다면 그 아이에게서 할아버지 소리를 들을
지도 모른다.

깨달음은 언제나 착하다. 그래서 나는 깨달음을 참 좋아한다.
물론 세상에는 이스라엘의 샤론처럼 "아, 그때 아라파트를 죽였
어야만 했는데……"라는, 무시무시한 깨달음을 신문 국제면에
피력하는 사람도 있긴 하지만. 이덕무의 다음과 같은 글을 읽다
가 문득 나도 국제면은 아니더라도 가정면 정도에는 피력하고 싶
은 깨달음을 얻었다.

지리산 속에는 연못이 있는데, 그 위에는 소나무가 죽 늘어서
있어 그 그림자가 언제나 못에 쌓여 있다. 못에는 물고기가 있는
데 무늬가 몹시 아롱져서 마치 스님의 가사와 같으므로, 이름하
여 가사어袈裟漁라고 한다. 대개 소나무의 그림자가 변화한 것인
데, 잡기가 매우 어렵다. 삶아서 먹으면 능히 병 없이 오래 살 수
있다고 한다.

智異山中有湫 湫上松樹森列 其影恒積于湫 有魚又甚班爛 若袈
裟 名爲袈裟魚 盖松影所化也 得之甚難 烹食則能無病長年云

삶아서 먹으면 능히 병 없이 오래 살 수 있다고 하는 가사어도 기실 소나무 그늘이 없었다면 존재하지도 않았을 것이다. 그럼 그 무늬는 무엇이더냐? 소나무 그림자다. 내 몸의 이 무늬는 그럼 무엇인가? 어머니 그림자다. 우리 어머니, 요코하마보다도 더 먼 곳에서 오셔서 내 몸에 언제나 그림자를 드리워주셨으니 내가 지금의 이름으로 불려질 수 있는 까닭은 모두 그 때문이다. 젊었던 어머니와 함께 〈블루 라이트 요코하마〉를 부를 수 있었더라면……. 내게도 타임머신이라는 게 있었다면 그 기계는 지금쯤 닳아서 너덜너덜해졌을 것이다. 어머니, 전 두환입니다가 아니고 전 막내아들입니다. 어머니 그늘 덕분에 제 몸에 이런 무늬가 생겼습니다. 능히 병 없이 오래 사세요.

이슬이 무거워 난초 이파리
지그시 고개를 수그리고

서울 아저씨는 내게 당숙이 되시는 분이었다. 당숙이라고는 하지만 서울 아저씨와 나와는 나이 차이가 갑甲을 한 번 돌 만큼 많았다. 어릴 때만 해도 집안의 막내인 우리 아버지에게 절하는 친척 노인이 많을 정도로 항렬을 꼭 따지는 분위기였다. 당연히 서울 할아버지라고 불러야 할 터인데, 머리가 희끗희끗한 그분을 나는 꼭 아저씨라고 불렀다.

시골에서 자라는 촌뜨기 아이는 응당 그럴 테지만, 나는 서울 아저씨가 너무 좋았다. 우선 서울에서 내려온 양반이라는 게 마음에 들었고 그분이 사용하시는 서울말이 너무나 신기했다. "연수 왔니? 뭐 하고 놀았어?" 뭐, 얻어먹을 게 있을까 싶어 동네 식당에서 아버지와 술을 드시는 서울 아저씨를 찾아가면 그분은 늘 웃으며 그렇게 물었다. 그건 도저히 흉내낼 수도 없는 말이었다. 서울 아저씨의 말투나 늘 농담을 던지는 낙천적인 처신에는 뭐라고 표현할 수 없는, 도회지의 세련된 느낌이 있었다. 그래서 나는 좋았다. 서울 아저씨의 모든 게 좋았다.

서울 아저씨의 아이들, 그러니까 나와는 또 30세 이상 차이가 나는 6촌들은 모두 서울에서 성공해서 살고 있었다. 사위는 국회의원이었다. 우리 친척 중에서는 가장 성공한 집안이었다. 하지만 어찌된 일인지 그렇게 되면 다른 친척과는 왕래가 뜸해지게 마련이다. 서울 아저씨와 우리 집 사이도 그럴 만했는데, 자식들을 다 키운 서울 아저씨는 김천으로 내려오셨다. 그러곤 폐차 처분을 받은 픽업을 불법으로 몰고 다니시며 고물상 비슷한 걸 하셨다. 정확하게 무슨 일을 하셨는지 모르겠다. 아무튼 서울 아저씨 내외가 살던 근교 농가에 가면 이상한 기계 같은 게 많았다.

형제들을 일찍 잃은 아버지는 서울 아저씨를 꽤나 따랐던 것 같다. 40대 시절 아버지는 눈물도, 설움도 많은 양반이었는데, 그때 늘 서울 아저씨가 아버지를 때로는 달래기도 하고, 때로는 윽박지르기도 하고, 때로는 놀리기도 했다. 알 빠진 플라스틱 주렴이 한가롭게 흔들리는 뒷골목 식당 자리에 앉아 두 분이 재미나게, 참 재미나게 말씀하시는 것을 보고 있노라면 나도 어른이 되면 필시 저런 분들처럼 될 것이라는 생각이 들었다. 어스름이 내리는 동안 재미나게, 참 재미나게 얘기하면서 술 마시는 사람이 될 것이라는.

모두 일본에서 태어나 해방 지나 한국으로 돌아온 분들이었다. 어려서 귀에 딱지가 앉도록 그 삶에 대해 들었다. 대동아전쟁이며 여순반란이며 동란 같은 것들. 하지만 여전히 나는 그런 삶이 과연 어떤 것인지 잘 모른다. 일본말로 가기 싫다며 외치다가 결국 끌려 올라탄 귀국선에서 게딱지처럼 판잣집이 들어찬 부산 언덕배기의 풍경을 바라보던 16세 소년의 절망에 대해 내가 알 도리가 없었다. 간신히 짐작할 뿐이었다. 삶은 주렴처럼 자주 흔들거렸겠지. 40대였던 아버지의 눈물과 설움이란 그런 것이었겠지. 하지만 그때 서울 아저씨가 있어 아버지는 40대를 무사하게 넘어올 수 있었다. 매일 저녁마다 고등어나 김치찌개 따위의 안주를 앞에 두고 재미나게, 참 재미나게 얘기하는 사촌형이 있어서.

한번은 두 분이 술을 드시고 나서 아쉬움이 남아 서울 아저씨의 푸른색 고물 픽업 트럭을 타고 서울 아저씨의 시골집까지 따라간 적이 있었다. 서울 아저씨의 집은 몇해 전 수해가 크게 난 감천 물가에 있었다. 대구 방향으로 가다가 감천교를 건너 좌회전해서 20분 정도 들어가면 나왔다. 술이 거나하게 취한 두 분 사이에 나는 앉아 있었다. 지금 같으면 음주운전으로 면허가 취소됐겠지만, 그때는 혈중 알코올 농도를 측정하는 기계도 없었고 단속하는 경찰도 없었다.

가로등이라고는 하나도 없는 비포장도로였다. 애당초 시속 40킬로미터가 넘으면 대화가 불가능할 정도로 낡은 차였는 데다가 불빛도 없고 먼지가 많이 이니 속력을 낼 방법이 없었다. 겨우 시속 2,30킬로미터 정도의 속도로 달렸던 것 같다. 그런 길을 달리며 두 분은 친척들 얘기를 했다. 내가 들으면 곤란한 얘기, 예컨 대 바람피우는 얘기나 여자 얘기 같은 게 나오면 일본말로 대화 를 나눴다. 지카시, 소노온나, 오카네 따위의 낯선 말을 들으며 나는 불빛을 받아 울퉁불퉁한 시골길을 바라봤다. 여기가 강변도 로보다 더 좋아. 어느 결엔가 서울 아저씨가 그렇게 말했다. 서울 아저씨가 내게 던진 수많은 농담은 다 잊어버리고 말았는데, 웬일인지 그 말만은 지금껏 잊혀지지 않는다. 여기가 강변도로보다 더 좋아.

서울 아저씨는 내가 중학교 2학년 되던 해에 돌아가셨다. 나와 가까웠던 사람 중에서는 처음이었다. 사람이 죽는다는 게 어떤 의미인지 알 수 없었다. 추석이 돼 선산에 갔더니 얼굴도 모르는 조상들의 산소 발치에 낯선 산소가 하나 더 생겼다. 그해 추석에 나는 얼마나 울었는지 모른다. 아마 아버지는 더 많이 울었을 것 이다. 하지만 이제 어르거나 달래줄 사람이 없어서인지 아버지는 표를 내지 않았다. 자라면서 힘든 일도 많았다. 그때마다 '서울 아저씨라면 이렇게 웃어넘겼을 거야' 그런 생각을 했다.

춘천마라톤에 갔다가 차를 몰고 돌아오는데, 갑자기 머리를 스 치는 생각이 있었다. 내가 지금 강변도로를 달려가고 있구나. 20 여 년 전, 서울 아저씨가 말씀했던 그 강변도로구나. 뭐, 이런 놈 의 삶이 다 있을까? 어린 시절에 나는 빨리 커서 서울 아저씨가 말한 강변도로에 가고 싶었다. 그런데 정작 이제 강변도로를 달리게 되니까, 그때 술 취한 서울 아저씨와 아버지 사이에 앉아 달려가던 시골길이 그리워지다니.

그런 생각을 하고 얼마 뒤, 신문을 읽다가 성북동 간송미술관에서 추사명품전을 한다는 기사를 읽고 찾아갔다. 이때가 아니면 간송미술관의 아름다운 뜰을 볼 수 없기 때문이었다. 눈에 익은 추사 글씨를 보다가 2층 한쪽에 걸린 난 그림을 보게 됐다. 이파리 세 개가 너무나 아름답게 종이를 가르고 있었다. 추사는 그 그림에다 다음과 같은 글을 적어놓았다.

봄빛 짙어 이슬 많고, 땅 풀려 풀 돋다.
산 깊고 해 긴데, 사람 자취 고요하니 향기만 쏟다.
春濃露重 地暖岬生 山深日長 人靜香透

나는 그 그림의 화제, '春濃露重'을 몇 번이나 되뇌면서 성북동 고갯길을 걸어 내려왔다. 봄빛이 짙어지면 이슬이 무거워지는구나. 그렇구나. 이슬이 무거워 난초 이파리 지그시 고개를 수그리는구나. 누구도 그걸 막을 사람은 없구나. 삶이란 그런 것이구나. 그래서 어른들은 돌아가시고 아이들은 자라는구나. 다시 돌아갈 수 없으니까 온 곳을 하염없이 쳐다보는 것이구나. 울어도 좋고, 서러워해도 좋지만, 다시 돌아가겠다고 말해서는 안되는 게 삶이로구나.

추사의 그림을 보지 않았더라면 나도 엉엉 소리내 울었을지도 모른다. 저녁 어스름 무렵이면 뒷골목 식당 알전구 아래 앉아 두 분이서 재미나게, 참 재미나게 말씀하셨지. 서울 아저씨는 늘 웃으면서 농담을 하셨지. 봄빛이 짙어지면 이슬이 무거워지니까. 난초 이파리 지그시 고개를 수그리니까. 우리가 왜 살아가는지 이젠 조금 알 것도 같다. 아니, 우리가 어떻게 살아가는지. 그렇게, 그냥 그 정도로만. 그럼, 다들 잘 지내시기를.